Direitos Autorais 1899 de L. Frank Baum e John R. Neill.
Todos os direitos reservados.
Copyright © 2021 by Editora Pandorga

Texto de acordo com as normas do Novo Acordo Ortográfico da Língua Portuguesa (Decreto Legislativo nº 54, de 1995)

DIREÇÃO EDITORIAL
Silvia Vasconcelos

PRODUÇÃO EDITORIAL
Equipe Pandorga

TRADUÇÃO
Ana Paula Mello

REVISÃO
Gabriela Peres Gomes
Maitê Zickuhr

ILUSTRAÇÃO
John R. Neill

CAPA E DIAGRAMAÇÃO
Lumiar Design

Dados Internacionais de Catalogação na Publicação (CIP) de acordo com ISBD

B347c   Baum, L. Frank

A cidade das esmeraldas / L. Frank Baum ; traduzido por Ana Paula Rezende ; ilustrado por John R. Neill. - Cotia : Pandorga, 2021.
320 p. : il. ; 14cm x 21cm.

Inclui índice.
ISBN: 978-65-5579-113-6

1. Literatura infantojuvenil. 2. Literatura americana. 3. Ficção. I. Rezende, Ana Paula. II. Neill, John R. III. Título.

2021-3211

CDD 028.5
CDU 82-93

Elaborado por Vagner Rodolfo da Silva - CRB-8/9410

Índice para catálogo sistemático:
1. Literatura infantojuvenil 028.5
2. Literatura infantojuvenil 82-93

2021
IMPRESSO NO BRASIL
PRINTED IN BRAZIL
DIREITOS CEDIDOS PARA ESTA EDIÇÃO À
EDITORA PANDORGA
RODOVIA RAPOSO TAVARES, KM 22
CEP: 06709015 - LAGEADINHO - COTIA - SP
TEL. (11) 4612-6404

WWW.EDITORAPANDORGA.COM.BR

A CIDADE DAS ESMERALDAS

PARA
SUA ALTEZA REAL
CYNTHIA II
DE SYRACUSE,
e para todas as crianças cuja leal apreciação me motivou
a escrever os livros de Oz. Este volume é carinhosamente
dedicado a elas.

L. FRANK BAUM

A CIDADE DAS ESMERALDAS

Ilustrações de
John R. Neill

TALVEZ eu deva admitir na primeira página que este livro foi escrito por "L. Frank Baum e por seus correspondentes", pois usei muitas das sugestões das crianças, enviadas para mim por meio de cartas. Um dia eu me imaginei "autor de contos de fadas", mas agora eu me sinto um mero editor ou secretário particular de um grupo de crianças cujas ideias preciso costurar no fio das minhas histórias.

Essas ideias normalmente são sábias. São também lógicas e interessantes. Por isso fiz uso delas sempre que tive oportunidade, e apenas reconheço minha dívida para com meus amiguinhos.

E como é grande a imaginação dessas crianças! Às vezes fico bastante surpreso com a ousadia e genialidade delas.

Tenho certeza de que no futuro não haverá escassez de autores de contos de fadas. Meus leitores disseram-me o que fazer com Dorothy, e com a tia Em e o tio Henry, e eu os obedeci. Eles também me forneceram uma variedade de assuntos sobre os quais escrever no futuro: sugestões suficientes, de fato, para me manter ocupado por algum tempo. Tenho muito orgulho dessa aliança. As crianças adoram essas histórias porque as crianças me ajudaram a escrevê-la. Meus leitores sabem o que querem e percebem que eu tento agradá-los. O resultado é bastante satisfatório para os editores, para mim e (tenho certeza) para as crianças.

Espero, meus queridos, que demore bastante tempo até que sejamos obrigados a encerrar nossa parceria.

L. Frank Baum
Coronado, 1910.

SUMÁRIO

CAPÍTULO 1 – Quando o Rei Nomo ficou bravo........................11

CAPÍTULO 2 – Quando o tio Henry se meteu em confusão......21

CAPÍTULO 3 – Quando Ozma realizou o pedido de Dorothy....31

CAPÍTULO 4 – Quando o Rei Nomo planejou a vingança.........41

CAPÍTULO 5 – Quando Dorothy se tornou uma princesa.........51

CAPÍTULO 6 – Quando Guph visitou os Whimsies....................63

CAPÍTULO 7 – Quando a tia Em conquistou o Leão..................71

CAPÍTULO 8 – Quando o grande Gallipoot se uniu aos Nomos...85

CAPÍTULO 9 – Quando o Besourão mostrou como ensinava esportes...93

CAPÍTULO 10 – Quando eles visitaram as Cuttenclips............107

CAPÍTULO 11 – Quando o general conheceu o Primeiro e o Mais importante...123

CAPÍTULO 12 – Quando eles juntaram as peças dos Fuddles...137

CAPÍTULO 13 – Quando o general conversou com o rei..........153
CAPÍTULO 14 – Quando o Mágico praticou feitiçaria..............159
CAPÍTULO 15 – Quando Dorothy acabou se perdendo...........169
CAPÍTULO 16 – Quando Dorothy visitou Utensia....................181
CAPÍTULO 17 – Quando eles chegaram a Bunbury..................191
CAPÍTULO 18 – Quando Ozma olhou no Quadro Mágico......205
CAPÍTULO 19 – Quando Bunnybury acolheu os forasteiros....209
CAPÍTULO 20 – Quando Dorothy almoçou com um rei..........219
CAPÍTULO 21 – Quando o rei mudou de ideia........................231
CAPÍTULO 22 – Quando o Mágico encontrou Dorothy...........241
CAPÍTULO 23 – Quando eles encontraram os Flutterbudgets..253
CAPÍTULO 24 – Quando o Homem de Lata contou
a notícia triste...263
CAPÍTULO 25 – Quando o Espantalho demonstrou sua
sabedoria..271
CAPÍTULO 26 – Quando Ozma se recusou a lutar por
seu reino...281
CAPÍTULO 27 – Quando os guerreiros furiosos
invadiram Oz..293
CAPÍTULO 28 – Quando eles beberam da fonte proibida.......299
CAPÍTULO 29 – Quando Glinda realizou um feitiço...............309
CAPÍTULO 30 – Quando a história de Oz chegou ao fim........317

CAPÍTULO 1
QUANDO O REI NOMO FICOU BRAVO

O Rei Nomo estava bravo, e naqueles momentos ele se tornava bastante desagradável. Todos ficavam longe dele, até mesmo seu Mordomo-chefe, Kaliko.

Assim, o Rei gritava e xingava sozinho, andando para cima e para baixo em sua caverna cravejada de joias e ficava cada vez mais bravo. Então, lembrou-se que não tinha graça nenhuma ficar bravo se não tivesse alguém para assustar e para fazer com que a pessoa se sentisse péssima, e por isso apressou-se até seu gongo, tocando-o o mais alto que conseguiu.

O Mordomo-chefe entrou, tentando não aparentar seu medo.

— Chame o Conselheiro-chefe! — gritou o monarca enfurecido.

Kaliko correu o mais rápido que suas pernas magricelas conseguiram carregar seu corpo gordinho, e logo o Conselheiro-chefe entrou na caverna. O Rei olhou de cara feia para ele e disse:

— Estou bastante perturbado com a perda do meu Cinto Mágico. Sempre que quero fazer alguma mágica, descubro que não posso porque não tenho mais o Cinto. Isso me deixa bravo, e quando estou bravo não consigo me divertir. E agora, qual é o seu conselho?

— Algumas pessoas — disse o Conselheiro-chefe — gostam de ficar bravas.

— Mas não o tempo todo — declarou o Rei. — Ficar bravo de vez em quando realmente é bastante divertido, pois isso faz os outros se sentirem péssimos. Mas ficar bravo de manhã, à tarde e à noite, como eu fico, é monótono e não consigo ter nenhum outro prazer na vida. E agora, qual é o seu conselho?

— Ora, se você fica bravo porque quer fazer mágica e não consegue, e se você não quer ficar bravo, meu conselho é que você pare de querer fazer mágica.

Ao ouvir isso o Rei olhou para seu Conselheiro com uma expressão furiosa e puxou seus próprios bigodes brancos com tanta força que gritou de dor.

— Você é um tolo! — exclamou ele.

— Compartilho tal honra com vossa Majestade — disse o Conselho-chefe.

O Rei rugiu de raiva e bateu o pé.

— Alto lá, meus guardas! — "Alto lá" é uma maneira real de se falar "Venham aqui". Então, quando os guardas chegaram, o Rei disse a eles:

— Levem esse Conselheiro-chefe daqui e livrem-se dele.

Os guardas então pegaram o Conselheiro-chefe, prenderam-no em correntes para evitar que ele resistisse e se livraram dele. E o Rei continuou andando para cima e para baixo em sua caverna, ainda mais bravo do que antes.

Por fim, ele correu até seu grande gongo e o fez soar novamente como se fosse um alarme de incêndio. Kaliko apareceu mais uma vez, tremendo e branco de medo.

— Traga meu cachimbo! — gritou o Rei.

— Seu cachimbo já está aqui, sua Majestade — respondeu Kaliko.

— Então, traga meu tabaco! — rugiu o Rei.

— O tabaco está no cachimbo, sua Majestade — respondeu o Mordomo.

— Então, traga o carvão direto da fornalha! — ordenou o Rei.

— O tabaco está aceso, e sua Majestade já está fumando seu cachimbo — respondeu o Mordomo.

— Ora, então estou! — disse o Rei, que se esquecera desse fato. — Mas você é muito insolente por me lembrar disso.

— Sou uma pessoa humilde, um patife miserável — declarou o Mordomo-chefe, com humildade.

O Rei Nomo não conseguiu pensar em nada para dizer em seguida, então fumou o cachimbo lançando baforadas de fumo e andou de um lado para o outro no recinto. Finalmente ele se lembrou que estava muito bravo e gritou:

— O que você pretende, Kaliko, ao estar tão feliz quando seu monarca está infeliz?

— Por que o senhor está infeliz? — perguntou o Mordomo.

— Perdi meu Cinto Mágico. Uma garotinha chamada Dorothy, que veio aqui com Ozma de Oz, roubou meu Cinto e o levou embora — disse o Rei, rangendo os dentes com raiva.

— Ela o conquistou em uma luta justa — Kaliko aventurou-se a dizer.

— Mas eu quero o Cinto! Eu preciso dele! Metade de meu poder foi embora com aquele Cinto! — rosnou o Rei.

— O senhor precisaria ir até a Terra de Oz para recuperá-lo e sua Majestade não tem como ir até a Terra de Oz — disse o Mordomo, bocejando, pois estava trabalhando a noventa e seis horas, e sentia sono.

— Por que não? — pergunto o Rei.

— Porque existe um deserto mortal em todo o contorno daquele país encantado, e não é possível atravessar o deserto. O senhor sabe disso tão bem quanto eu, sua Majestade. Não dê importância para o Cinto perdido. O senhor ainda tem bastante poder, pois o senhor governa esse reino subterrâneo como um tirano e milhares de Nomos obedecem aos seus comandos. Eu lhe aconselho a beber um copo de prata derretida, para acalmar os nervos, e depois ir para a cama.

O Rei agarrou um grande rubi e atirou-o na cabeça de Kaliko. O Mordomo abaixou-se para fugir da pedra pesada, que atingiu a porta um pouco acima de sua orelha esquerda.

— Saia da minha frente! Desapareça! Vá embora... e mande o General Blug vir aqui — gritou o Rei Nomo.

Kaliko retirou-se rapidamente e o Rei Nomo andou de um lado para o outro batendo o pé com força no chão, até o General de seu exército aparecer.

Esse Nomo era bastante conhecido por ser um lutador terrível e um comandante cruel e violento. Comandava cinquenta mil soldados Nomos, todos muito bem disciplinados, soldados que não temiam nada além de seu severo mestre. Apesar disso, o General Blug ficou um pouco incomodado ao chegar e perceber o quanto o Rei Nomo estava bravo.

— Ah! Aí está você! — gritou o Rei.

— Aqui estou eu — disse o General.

— Leve seu exército imediatamente até a Terra de Oz, capture e destrua a Cidade das Esmeraldas, e traga de volta o meu Cinto Mágico! — rugiu o Rei.

— O senhor está maluco — observou o General, com calma.

— O que é isso? O que é isso? O que é isso?

E o Rei Nomo dançava na ponta dos pés, tão bravo ele estava.

— O senhor não sabe o que está falando — continuou o General, sentando-se sobre um grande diamante lapidado. — Eu aconselho o senhor a ficar em pé no canto da sala e a contar até sessenta antes de falar novamente. Talvez depois disso o senhor consiga ser mais sensato.

O Rei olhou para os lados procurando por alguma coisa para atirar no General Blug, mas como não havia nada à mão começou a considerar que talvez o homem estivesse certo e ele estivesse falando bobagem. Então simplesmente se jogou em seu trono reluzente, inclinou sua coroa na orelha, dobrou os joelhos, colocou os pés embaixo das pernas e olhou perversamente para Blug.

— Primeiro — disse o General —, não podemos atravessar o deserto mortal para ir até a Terra de Oz; e, se pudéssemos, a Governante daquelas terras, a Princesa Ozma, tem certos poderes mágicos que tornariam meu exército indefeso. Se o senhor não tivesse perdido seu Cinto Mágico, talvez tivéssemos alguma chance de derrotar Ozma, mas o Cinto não está mais aqui.

— Eu quero o Cinto! — gritou o Rei. — Eu preciso dele.

— Ora, então vamos tentar recuperá-lo de maneira sensata — respondeu o General. — O Cinto foi capturado por uma garotinha chamada Dorothy, que mora no Kansas, nos Estados Unidos da América.

— Mas ela deixou o Cinto na Cidade das Esmeraldas, com Ozma — declarou o Rei.

— Como o senhor sabe disso? — perguntou o General.

— Um de meus espiões, um melro, voou sobre o deserto até a Terra de Oz, e viu o Cinto Mágico no palácio de Ozma — respondeu o Rei, com um gemido.

— E isso me dá uma ideia — disse o General Blug, pensativo. — Existem duas maneiras de se chegar à Terra de Oz sem precisar viajar pelo deserto.

— Que maneiras são essas? — perguntou o Rei, impaciente.

— Uma delas é *sobre* o deserto, pelo ar; e a outra maneira é *sob* o deserto, pela terra.

Ao ouvir isso o Rei Nomo soltou um grito de alegria e pulou de seu trono, para voltar a andar de um lado para o outro pela caverna.

— É isso, Blug! — gritou ele. — Essa é a ideia, General! Eu sou o Rei do Mundo Subterrâneo, e meus súditos são todos mineradores. Construirei um túnel secreto embaixo do deserto que vá até a Terra de Oz, é isso! Direto para a Cidade das Esmeraldas... E então você levará seu exército para lá e conquistará a terra toda!

— Calma, calma, sua Majestade. Não vá com tanta sede ao pote — advertiu o General. — Meus Nomos são bons lutadores, mas não são fortes o suficiente para conquistar a Cidade das Esmeraldas.

— Você tem certeza disso? — perguntou o Rei.

— Certeza absoluta, sua Majestade.

— Então, o que eu vou fazer?

— Desista da ideia e cuide do que é da sua conta — aconselhou o General. — O senhor já tem bastante trabalho tentando governar seu reino subterrâneo.

— Mas eu quero o Cinto Mágico – e vou consegui-lo! — rugiu o Rei Nomo.

— Eu gostaria que o senhor o conseguisse de volta — respondeu o General, rindo maliciosamente.

Dessa vez o Rei ficou tão irritado que pegou seu cetro, que tinha uma bola pesada na ponta, feita de safira, e o atirou com toda sua força no General Blug. A safira atingiu o General em sua testa e o derrubou esparramado no chão, onde ele ficou imóvel. Então o Rei tocou seu gongo e ordenou que os guardas arrastassem o General para fora da sala e se livrassem dele; e eles assim o fizeram.

Esse Rei Nomo era chamado Roquat, o Vermelho, e ninguém gostava dele. Era um homem mau e um poderoso monarca, e decidira destruir a Terra de Oz e sua magnífica Cidade das Esmeraldas; escravizar a Princesa Ozma, a pequena Dorothy e todo o povo de Oz; e recuperar seu Cinto Mágico. Este mesmo Cinto que um dia permitiu que Roquat, o Vermelho, levasse à frente vários planos maldosos, mas isso foi antes de Ozma e seu povo marcharem até a caverna subterrânea e capturá-lo. O Rei Nomo não conseguia perdoar Dorothy ou a Princesa Ozma, e estava determinado a se vingar delas.

Mas elas, por sua vez, não sabiam que tinham um inimigo tão perigoso. Na verdade, Ozma e Dorothy já haviam quase se esquecido que tal Rei Nomo vivia embaixo das montanhas da Terra de Ev – que ficava do outro lado do deserto mortal, ao sul da Terra de Oz.

Um inimigo desconhecido é duas vezes mais perigoso.

CAPÍTULO 2
QUANDO O TIO HENRY SE METEU EM CONFUSÃO

Dorothy Gale morava em uma fazenda no Kansas, com sua tia Em e seu tio Henry. Não era uma fazenda grande e nem uma fazenda boa, pois às vezes a chuva não vinha quando a plantação precisava dela e então tudo murchava e secava. Um dia um ciclone levou a casa do tio Henry embora, e assim ele foi obrigado a construir outra; e como ele era um homem pobre precisou hipotecar sua fazenda para conseguir o dinheiro para pagar pela casa nova. Mas sua saúde ficou debilitada e ele estava fraco demais para trabalhar. O médico ordenou que ele fizesse uma viagem de navio e ele foi para a Austrália e levou Dorothy junto. Aquilo também custou bastante dinheiro.

Tio Henry ficava cada ano mais pobre e a plantação que era cultivada na fazenda servia apenas de comida para a família. E com isso a hipoteca não podia ser paga. Por fim o banco que emprestara o dinheiro disse que se ele não pagasse até uma determinada data, a fazenda seria tirada dele.

Isso preocupou bastante o tio Henry, pois sem a fazenda ele não teria como se sustentar. Ele era um homem bom e trabalhava nos campos tanto quanto conseguia; e a tia Em fazia todo o serviço da casa, com a ajuda de Dorothy. Ainda assim, eles não pareciam conseguir progredir.

Essa garotinha, Dorothy, era como dezenas de garotinhas que você conhece. Era adorável e costumava ser doce, tinha o rosto rosado e redondo e olhos sinceros. A vida era coisa séria para Dorothy, e algo maravilhoso também, pois ela passara por mais aventuras estranhas em seu curto tempo de vida do que muitas outras garotas de sua idade.

A tia Em um dia disse que as fadas devem ter marcado Dorothy quando ela nasceu, pois ela já estivera em lugares tão estranhos e sempre fora protegida por algum poder invisível. Já o tio Henry pensava que sua pequena sobrinha era simplesmente uma sonhadora, como fora sua falecida mãe, pois ele não conseguia acreditar totalmente nas histórias curiosas que Dorothy contava a eles sobre a Terra de Oz, que ela visitara várias vezes. Ele não achava que ela tentava enganar o tio e a tia, mas supunha que ela sonhara com todas aquelas aventuras surpreendentes, e que os sonhos haviam sido tão reais para ela que a menina acabara acreditando que eram verdade.

Qualquer que fosse a explicação, era certo que Dorothy não estivera em sua casa no Kansas durante longos períodos, sempre desaparecendo de maneira inesperada, mas sempre voltando sã e salva, com histórias impressionantes sobre o lugar onde estivera e sobre as pessoas incomuns que conhecera. Seu tio e tia escutavam suas histórias com atenção e, apesar de suas dúvidas, aos poucos começaram a perceber que a garotinha adquiria bastante experiência e sabedoria que eram inexplicáveis para sua idade, quando fadas não deveriam mais existir.

A maioria das histórias de Dorothy eram sobre a Terra de Oz, com sua linda Cidade das Esmeraldas e uma adorável garota Governante, chamada Ozma, que era a mais fiel amiga da garotinha do Kansas. Quando Dorothy contava sobre as riquezas deste país encantado o tio Henry suspirava, pois sabia que apenas uma das grandes esmeraldas tão comuns em tal lugar pagaria todas as suas dívidas e livraria sua fazenda. Mas Dorothy nunca trouxe nenhuma pedra preciosa para casa, então a pobreza da família começou a ficar maior a cada ano.

Quando o banqueiro disse ao tio Henry que ele precisava pagar o valor em trinta dias ou então teria de deixar a fazenda, o pobre homem entrou em desespero, pois sabia que não tinha como conseguir o dinheiro. Então ele contou à sua esposa, tia Em, o problema e ela primeiro chorou um pouco, mas depois disse que eles precisavam ter coragem e fazer o melhor que pudessem e que deveriam ir embora para algum outro lugar e tentar ganhar a vida de maneira honesta. Mas eles estavam ficando velhos e fracos e ela temia que eles não conseguissem cuidar de Dorothy tão bem como haviam feito até aquele momento. Provavelmente a garotinha também seria obrigada a trabalhar.

Eles esconderam da sobrinha a notícia triste por vários dias, pois não queriam deixá-la infeliz, mas em uma manhã a garotinha encontrou tia Em chorando baixinho enquanto o tio Henry tentava confortá-la. Então Dorothy perguntou o que estava acontecendo e eles lhe contaram o problema.

— Vamos precisar ir embora da fazenda, minha querida — respondeu o tio, com tristeza. — E vamos precisar vagar por aí, para encontrar trabalho e conseguir sobreviver.

A garota ouviu em silêncio, séria, pois não sabia que eles eram tão pobres.

— Não nos preocupamos conosco — disse a tia, acariciando a cabeça da garotinha com carinho —, mas amamos você como se fosse nossa filha, e estamos com o coração partido por pensar que você também deve enfrentar a pobreza e trabalhar para sobreviver antes de ter a chance de crescer e ficar forte para fazer isso.

— O que eu poderia fazer para ganhar dinheiro? — perguntou Dorothy.

— Você pode trabalhar fazendo o serviço da casa para alguém, querida, você é tão boa nisso; ou talvez você possa cuidar de alguma criança pequena. Eu não sei exatamente o que você *pode* fazer para ganhar dinheiro, mas se seu tio e eu conseguirmos sustentar você, faremos isso com prazer para que você vá para a escola. Tememos, porém, que teremos dificuldade para ganhar a vida. Ninguém quer contratar pessoas velhas, com a saúde debilitada, como nós.

Dorothy sorriu.

— Não seria engraçado — disse ela —, eu trabalhando na casa de alguém no Kansas quando sou uma Princesa na Terra de Oz?

— Uma Princesa! — exclamaram os dois, admirados.

— Sim; Ozma me tornou Princesa um tempo atrás, e ela sempre me pede para ir viver para sempre na Cidade das Esmeraldas — disse a criança.

O tio e a tia olharam um para o outro espantados. Então o homem disse:

— Você acha que consegue voltar para sua terra encantada, minha querida?

— Ah, sim — respondeu Dorothy. — Consigo fazer isso com facilidade.

— Como? — perguntou a tia Em.

— A Ozma me vê todos os dias, às quatro horas, em seu Quadro Mágico. Ela consegue me ver onde quer que eu esteja, não importa o que eu esteja fazendo. E, naquele momento, se eu fizer um certo sinal secreto, ela manda me buscar através de um Cinto Mágico, que um dia eu capturei do Rei Nomo. Então, em um piscar de olhos, estarei no palácio de Ozma.

O casal de idosos permaneceu em silêncio por um tempo depois que Dorothy falou. Finalmente, tia Em disse, com um outro suspiro de arrependimento:

— Se esse é o caso, Dorothy, talvez seja melhor você ir embora morar na Cidade das Esmeraldas. Ficaremos com o coração partido por você não estar mais em nossas vidas, mas você estará tão melhor com seus amigos encantados, que parece ser o mais sábio e o melhor a fazer.

— Não tenho certeza disso — observou o tio Henry, balançando sua cabeça grisalha, em dúvida. — Todas essas coisas parecem reais para Dorothy, eu sei, mas temo que nossa garotinha não encontre sua terra da fantasia exatamente como ela sonhou. Eu ficaria muito infeliz de pensar que ela está vagando entre estranhos que podem não ser gentis com ela.

Dorothy riu alegremente ao ouvir o tio, e então voltou a ficar séria, pois ela podia ver o quanto aquilo incomodava sua tia e tio e sabia que, a menos que encontrasse uma maneira de ajudá-los, a vida futura deles seria bastante miserável e infeliz. Dorothy sabia que *podia* ajudá-los. Ela já pensara em uma maneira de fazer isso, mas não disse logo o que pensou, pois precisava pedir o consentimento de Ozma antes que pudesse levar seus planos adiante.

Disse apenas:

— Se vocês prometerem não se preocuparem nem um pouquinho comigo, vou para a Terra de Oz hoje à tarde. E prometo, também, que vocês dois vão me ver novamente antes que chegue o dia de deixarem esta fazenda.

— O dia não está muito longe agora — respondeu o tio, com tristeza. — Eu não contei o problema a vocês até ser obrigado a fazê-lo, querida Dorothy, então a hora está chegando. Mas se você tiver certeza de que seus amigos encantados lhe darão abrigo, é melhor você ir com eles, como sua tia sugeriu.

Foi por isso que Dorothy foi até o seu quartinho no sótão naquela tarde, levando consigo seu cachorrinho chamado Totó. O cachorro tinha pelo preto enrolado e grandes olhos castanhos e adorava Dorothy.

A criança beijara o tio e a tia com carinho antes de subir as escadas e agora olhava para os lados em seu pequeno quarto bastante melancolicamente, observando as bugigangas e os vestidos velhos de chita e algodão como se fossem seus velhos amigos. Ficou tentada, primeiro, a fazer uma trouxa com eles, embora soubesse muito bem que eles não teriam nenhuma serventia para ela em sua vida futura.

Ela se sentou em uma cadeira quebrada – a única que existia no quarto – e, segurando Totó nos braços, esperou pacientemente até o relógio bater quatro horas.

Então, fez o sinal secreto que combinara com Ozma.

Tio Henry e tia Em esperaram no andar de baixo. Estavam apreensivos e bastante agitados, pois aquele era um mundo prático e enfadonho, e parecia a eles bem impossível que sua pequena sobrinha pudesse desaparecer de casa e viajar instantaneamente para um mundo da fantasia.

Olhavam para as escadas, que pareciam ser o único lugar por onde Dorothy poderia sair da fazenda, e não tiraram os olhos de lá por um longo tempo. Ouviram o relógio bater quatro horas, mas não ouviram nenhum barulho vindo de cima.

Passou-se meia hora depois das quatro horas e eles estavam impacientes demais para esperar por mais tempo. Devagar subiram as escadas até a porta do pequeno quarto da garota.

— Dorothy! Dorothy! — chamaram.

Não houve resposta.

Eles abriram a porta e olharam lá dentro.

O quarto estava vazio.

CAPÍTULO 3
QUANDO OZMA REALIZOU O PEDIDO DE DOROTHY

Acho que você já leu bastante sobre a magnífica Cidade das Esmeraldas, por isso não há necessidade de descrevê-la aqui. Ela é a capital da Terra de Oz, e é justamente considerada a mais atrativa e agradável terra da fantasia de todo o mundo.

A Cidade das Esmeraldas é feita com lindas placas de mármore, nas quais uma grande quantidade de esmeraldas está inserida, cada uma delas elegantemente cortada e de tamanho bem grande. Outras pedras preciosas foram usadas nas decorações dentro das casas e palácios, como rubis, diamantes, safiras, ametistas e turquesas. Mas nas ruas e na parte de fora dos edifícios apenas as esmeraldas podem ser vistas e por isso o lugar é chamado de Cidade das Esmeraldas de Oz. Na época em que comecei a escrever minhas histórias a cidade tinha nove mil seiscentos e cinquenta e quatro edifícios, nos quais moravam cinquenta e sete mil trezentas e dezoito pessoas.

Todas as redondezas do país, estendendo-se até os limites do deserto que a cercava por todos os lados, era repleta de lindas e confortáveis fazendas, nas quais moravam aqueles habitantes de Oz que preferiam a vida no campo à vida na cidade.

No total havia mais de meio milhão de pessoas na Terra de Oz – embora algumas delas, como você logo vai descobrir, não eram feitas de carne e osso como nós – e todos os habitantes de lá achavam o país um lugar feliz e próspero.

Não existia nenhum tipo de doença entre os Ozianos e por isso ninguém morria, a não ser que algum acidente acontecesse. E isso acontecia bem raramente. Não havia pessoas pobres na Terra de Oz, pois lá não existia dinheiro, e todas as propriedades pertenciam à Governante. As pessoas eram consideradas suas crianças, e ela cuidava deles. Cada pessoa recebia de seus vizinhos o que precisasse, sem ter de pagar nada por isso, e isso é tudo o que qualquer pessoa pode desejar. Alguns lavravam as terras e cultivavam grandes plantações de grãos, que eram divididos igualmente entre toda a população, e assim todos recebiam o suficiente. Havia muitos alfaiates, costureiras, sapateiros e outros profissionais desse tipo, que faziam coisas que qualquer pessoa desejasse vestir. Da mesma maneira, havia joalheiros que faziam enfeites para as pessoas, o que agradava e embelezava os cidadãos, e tais enfeites também eram gratuitos para aqueles que os solicitavam. Cada homem e mulher, não importava o que ele ou ela produzisse para o bem da comunidade, recebia comida, vestimenta, casa, mobília, enfeites e jogos de seus vizinhos. Se, por acaso, algum dos produtos acabasse, era só pegar mais itens nos galpões da Governante, que depois eram abastecidos novamente quando houvesse mais artigos do que a população precisasse.

Todos trabalhavam metade do tempo e brincavam na outra metade; as pessoas gostavam de trabalhar tanto quanto gostavam de brincar, pois é bom estar ocupado e ter algo para fazer. Não havia supervisores cruéis para vigiá-los, e ninguém para repreendê-los ou implicar com eles. Então cada um se sentia honrado em fazer tudo o que pudesse por seus amigos e vizinhos, e ficava feliz quando aceitavam as coisas que produzia.

Você saberá, a partir do que conto aqui, que a Terra de Oz era um país notável. Eu não acho que tal sistema funcionaria conosco, mas Dorothy garantiu-me que funciona muito bem para o povo de Oz.

Como Oz é um país encantado, seu povo era, claro, encantado também. Mas isso não significa que todos eles eram diferentes das pessoas do nosso mundo. Havia todos os tipos de pessoas diferentes entre eles, mas nenhuma delas era má, ou possuía natureza egoísta ou violenta. Eram pessoas tranquilas, de bom coração, adoráveis e felizes, e todos os habitantes daquele lugar adoravam a linda garota que os governava, e ficavam felizes em obedecer às suas ordens.

Apesar de tudo o que eu disse de maneira geral, havia algumas partes da Terra de Oz que não eram tão agradáveis quanto as terras do campo e a Cidade das Esmeraldas, que ficava no centro de tudo. Longe de lá, nas terras do Sul, vivia um bando de pessoas estranhas nas montanhas, chamados Cabeças de Martelo, pois não tinham braços e usavam suas cabeças achatadas para golpear quem se aproximasse deles. Seus pescoços pareciam feitos de borracha, então eles conseguiam esticar suas cabeças até uma boa distância e depois recolhê-las com facilidade. Os Cabeças de Martelo eram conhecidos como "pessoas selvagens", mas nunca machucavam ninguém além daqueles que os incomodavam nas montanhas em que viviam.

Em algumas das densas florestas do país viviam grandes feras de todos os tipos; ainda assim, a grande maioria dessas feras era inofensiva e até mesmo sociável, e conversavam amigavelmente com quem visitasse suas cavernas. Os Kalidahs – feras com corpo de urso e cabeça de tigre – já foram ferozes e sanguinários um dia, mas mesmo eles agora eram praticamente domesticados, embora às vezes um ou outro deles ficava furioso e desagradável.

Já as Árvores Lutadoras não eram tão domesticadas, e tinham uma floresta só para elas. Se alguém se aproximasse, essas árvores curiosas abaixavam seus galhos, enroscavam-nos no intruso e o atirava para longe.

Mas tais coisas desagradáveis existiam apenas em poucas partes da Terra de Oz. Acredito que todo país tenha seus problemas, então até mesmo essa terra encantada quase perfeita não era tão perfeita assim. Um dia existiram bruxas más na terra, também, mas agora todas elas foram destruídas; então, como eu disse, apenas a paz e a felicidade reinam em Oz.

Já há algum tempo Ozma vem governando essa terra da fantasia, e nunca uma governante foi tão popular ou adorada. Dizem que ela é a garota mais linda que o mundo já conheceu e seu coração e espírito são tão adoráveis quanto sua pessoa.

Dorothy Gale visitou a Cidade das Esmeraldas várias vezes e experimentou aventuras na Terra de Oz, e agora Ozma e ela são grandes amigas. A garota Governante até mesmo tornara Dorothy uma Princesa de Oz e com frequência implorava para que viesse para o palácio de Ozma e vivesse ali para sempre; mas Dorothy fora fiel à sua tia Em e a seu tio Henry, que cuidaram dela desde que ela era bebê, e se recusara a deixá-los, pois sabia que eles se sentiriam muito sozinhos sem ela.

Porém, agora Dorothy percebia que as coisas seriam diferentes com seu tio e tia dali para frente, então, depois de pensar bastante, ela decidiu pedir para Ozma lhe fazer um favor bem grande.

Poucos segundos depois de ela ter feito o sinal secreto em seu pequeno quarto, a garota do Kansas se viu sentada no adorável aposento no palácio de Ozma, na Cidade das Esmeraldas de Oz. Depois de trocarem beijos e abraços carinhosos, a Governante perguntou:

— Qual é o problema, querida? Sei que algo desagradável aconteceu com você, pois seu rosto estava sério quando a vi em meu Quadro Mágico. E sempre que você me faz o sinal para transportá-la para esse lugar seguro, onde você é sempre bem-vinda, sei que você está em perigo ou em apuros.

Dorothy suspirou.

— Dessa vez, Ozma, o problema não é comigo — respondeu ela. — Mas é pior, eu acho, pois o tio Henry e a tia Em estão em grandes apuros, e parece que não há saída para eles – não enquanto viverem no Kansas.

— Conte-me o que aconteceu, Dorothy — disse Ozma, com bastante simpatia.

— Ora, sabe, o tio Henry é um homem pobre; a fazenda no Kansas não dá muito dinheiro, como acontece com as fazendas. Então, um dia o tio Henry emprestou dinheiro, e assinou uma carta dizendo que se não pagasse o dinheiro de volta, as pessoas podiam ficar com a fazenda como pagamento pelo dinheiro emprestado. Claro que ele esperava pagá-los com o dinheiro que conseguiria fazer com os produtos da fazenda, mas ele não conseguiu. E então vão pegar a fazenda dele, e o tio Henry e a tia Em não vão ter um lugar para morar. Eles estão bastante velhos para trabalhar, Ozma, então vou ter de trabalhar no lugar deles, a não ser que...

Ozma estivera pensativa durante toda a história, mas agora ela sorriu e apertou a pequena mão da amiga.

— A não ser que aconteça o quê, querida? — perguntou ela.

Dorothy hesitou, pois seu pedido significava muito para todos eles.

— Bem — disse ela — eu gostaria de viver aqui, na Terra de Oz, onde você sempre me chamou para morar. Mas não posso, sabe, a menos que o tio Henry e a tia Em pudessem vir morar aqui também.

— É claro que você não pode — exclamou a Governante de Oz, rindo com alegria. — Então, para termos você aqui, minha amiga, vamos convidar seu tio e sua tia para viverem em Oz também.

— Ah, você faria isso, Ozma? — perguntou Dorothy, batendo suas mãos gordinhas com alegria. — Você os traria para cá com o Cinto Mágico, e daria a eles uma linda fazenda no País dos Munchkin, ou no País dos Winkies – ou em qualquer outro lugar?

— Com certeza — respondeu Ozma, cheia de alegria ao ver que deixaria a amiga feliz. — Já faz tempo que venho pensando nisso, Dorothy querida, e sempre pensei em conversar sobre isso com você. Tenho certeza de que seu tio e tia devem ser pessoas boas e dignas, ou você não os amaria tanto; e para *seus* amigos, Princesa, sempre haverá lugar na Terra de Oz.

Dorothy estava encantada, mas não surpresa, pois ela tinha esperança de que Ozma seria generosa o suficiente para realizar seu desejo. Na verdade, quando sua poderosa e fiel amiga recusara alguma coisa a ela?

— Mas vocês não devem me chamar de "Princesa" — disse ela —, pois, depois que eles vierem para cá, devo viver na pequena fazenda com o tio Henry e a tia Em, e princesas não moram em fazendas.

— A Princesa Dorothy não vai morar na fazenda — respondeu Ozma, com um sorriso doce. — Você vai morar em seus próprios aposentos neste palácio, e será a minha companheira de todos os dias.

— Mas o tio Henry... — Dorothy começou a falar.

— Ah, ele é velho e já trabalhou bastante na vida — interrompeu a Governante. — Então, vamos procurar um lugar para o seu tio e sua tia onde eles ficarão confortáveis, felizes e não precisarão trabalhar mais do que o quanto quiserem. Quando devemos trazê-los para cá, Dorothy?

— Prometi ir até lá e vê-los novamente antes de entregarem a fazenda — respondeu Dorothy. — Então, talvez no próximo sábado...

— Mas por que esperar tanto? — perguntou Ozma. — E por que voltar para o Kansas outra vez? Vamos fazer uma surpresa e trazê-los para cá sem avisá-los.

— Não tenho certeza se eles acreditam na Terra de Oz — disse Dorothy. — Embora eu tenha contado muitas histórias daqui para eles.

— Eles vão acreditar quando estiverem aqui — declarou Ozma —; e se contarmos a eles que farão uma viagem mágica até uma terra encantada, eles ficarão assustados. Acho que o melhor a fazer é usar o Cinto Mágico sem nenhum aviso, e então quando eles chegarem aqui você pode explicar tudo o que eles não entenderem.

— Talvez isso seja o melhor — decidiu Dorothy. — Não adianta muito eles ficarem na fazenda até serem expulsos de lá, pois aqui é um lugar muito mais agradável.

— Então, amanhã pela manhã eles virão para cá — disse a Princesa Ozma. — Vou pedir para Jellia Jamb, a governanta do palácio, para providenciar que sejam preparados aposentos para eles e depois do café da manhã pegaremos o Cinto Mágico e com sua ajuda traremos seu tio e tia para a Cidade das Esmeraldas.

— Obrigada, Ozma! — exclamou Dorothy, beijando a amiga com gratidão.

— E agora — sugeriu Ozma — vamos caminhar pelos jardins antes de nos prepararmos para o jantar. Venha, Dorothy querida!

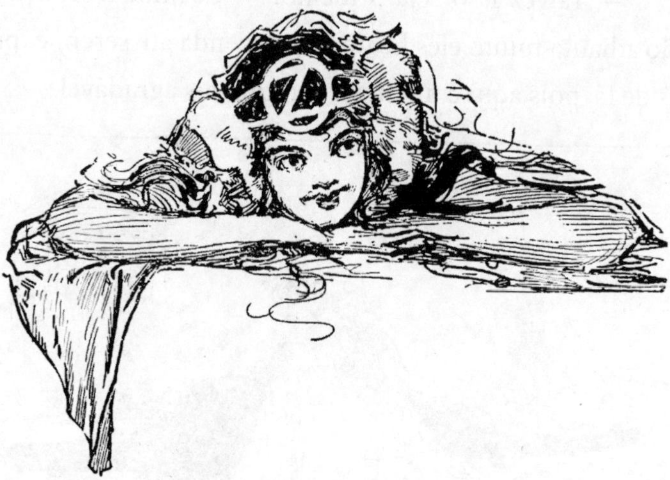

CAPÍTULO 4
QUANDO O REI NOMO PLANEJOU A VINGANÇA

A maioria das pessoas é má porque não tenta ser boa. O Rei Nomo nunca tentou ser bom, por isso ele era realmente muito mal. Depois de decidir conquistar a Terra de Oz, destruir a Cidade das Esmeraldas e escravizar todo seu povo, o Rei Roquat, o Vermelho, continuou pensando em maneiras de fazer algo tão terrível e, quanto mais planejava, mais acreditava que conseguiria realizar seu plano.

Quando Dorothy estava conversando com Ozma, o Rei Nomo chamou seu Mordomo-chefe e disse a ele:

— Kaliko, acho que vou tornar você o general de meu exército.

— Acho que não vai, não — respondeu Kaliko, afirmativamente.

— Por que não? — perguntou o Rei, alcançando seu cetro com a grande safira.

— Porque eu sou seu Mordomo-chefe, e não sei nada sobre guerra — disse Kaliko, preparando-se para desviar caso algo fosse jogado em sua direção. — Eu cuido de todas as questões de seu reino melhor do que você mesmo, e você nunca vai encontrar um outro Mordomo tão bom quanto eu. Mas existem centenas de Nomos mais bem preparados para comandar seu exército, e seus generais são jogados fora com tanta frequência que não tenho nenhuma vontade de me tornar um deles.

— Ora, existe alguma verdade por trás de seus comentários, Kaliko — observou o Rei, decidindo não jogar seu cetro. — Reúna meu exército na Grande Caverna.

Kaliko fez uma reverência e retirou-se, e em poucos minutos voltou para dizer que o exército já estava reunido. O Rei então saiu para uma varanda que se sobrepunha à Grande Caverna, onde cinquenta mil Nomos, todos armados com espadas e lanças com ponta de aço, estavam organizados em uma formação militar.

Quando não precisavam exercer o papel de soldados, esses Nomos eram metalúrgicos e mineiros, e costumavam martelar tanto nas forjas e cavar com tanta força com pás e picaretas que adquiriram grande massa muscular. Eram criaturas com formas estranhas, arredondadas e não muito altas. Seus dedos dos pés eram curvados e suas orelhas eram grandes e retas.

Em época de guerra, todo Nomo deixava sua forja ou mina e se tornava parte do grande exército do Rei Roquat.

Os soldados usavam uniformes que tinham a cor das rochas e eram muito disciplinados.

O Rei olhou para esse tremendo exército, que estava parado em silêncio diante dele, e um sorriso cruel formou-se no canto de sua boca, pois ele viu que sua legião era muito poderosa. Então, dirigiu-se a eles da varanda dizendo:

— Acabei de me livrar do General Blug, pois ele não me deixou satisfeito. Assim, preciso de um outro General para comandar esse exército. Quem vai ser o próximo a ocupar esse posto?

— Eu — respondeu o Coronel Crinkle, um Nomo de aparência elegante, que deu um passo à frente para saudar seu monarca.

O Rei olhou para ele com cuidado e disse:

— Quero que você conduza esse exército através do túnel subterrâneo, que vou perfurar, até a Cidade das Esmeraldas de Oz. Quando chegar lá, quero que vocês conquistem o povo de Oz, os destruam, assim como sua cidade, e tragam todo seu ouro, prata e pedras preciosas para minha caverna. Também quero de volta meu Cinto Mágico. Você fará isso, General Crinkle?

— Não, sua Majestade — respondeu o Nomo —, pois isso não pode ser feito.

— Ah, verdade! — exclamou o Rei.

Ele então virou-se para seu serviçal e disse:

— Por favor, leve o General Crinkle para a câmara da tortura. Ao chegar lá, por gentileza, corte-o em pedacinhos.

Depois pode jogar sua carne para alimentar os cães de sete cabeças.

— Como o senhor desejar, sua Majestade — responderam os serviçais, com educação, levando o condenado embora.

Depois que saíram, o Rei dirigiu-se novamente ao exército.

— Ouçam! — disse ele. — O General que comandar meu exército deve prometer cumprir minhas ordens. Se fracassar, terá o mesmo destino do pobre Crinkle. Agora, quem se candidata a levar meu exército até a Cidade das Esmeraldas?

Durante algum tempo ninguém se mexeu e o silêncio continuou. Foi quando um velho Nomo, de bigodes brancos tão compridos que precisavam ser amarrados em volta de sua cintura para que ele não tropeçasse neles, deu um passo à frente dos outros e saudou o Rei.

— Gostaria de fazer algumas perguntas, sua Majestade — disse ele.

— Vá em frente — respondeu o Rei.

— Esse povo de Oz é muito bom, não é?

— São tão bons quanto anjos — respondeu o Rei.

— E são felizes, eu suponho? — continuou o velho Nomo.

— Tão felizes quanto um dia de sol — respondeu o Rei.

— E satisfeitos e prósperos? — perguntou o Nomo.

— Muito — respondeu o Rei.

— Ora, sua Majestade — observou aquele de bigodes brancos —, acho que eu gostaria de assumir essa missão, e assim serei seu General. Detesto pessoas boas; detesto pessoas felizes; sou contra qualquer pessoa que seja satisfeita e próspera. Por isso gosto tanto de sua Majestade. Torne-me seu General e prometo conquistar e destruir o povo de Oz. Se eu fracassar, estarei pronto para ser cortado em pedacinhos e minha carne poderá alimentar os cães de sete cabeças.

— Muito bem! Muito bem mesmo! É assim que se fala! — gritou Roquat, o Vermelho, que estava bastante satisfeito. — Qual é o seu nome, General?

— Meu nome é Guph, sua Majestade.

— Muito bem, Guph, venha comigo até minha caverna particular para conversarmos sobre o assunto.

Ele então virou-se para o exército.

— Nomos e soldados — disse ele —, vocês devem obedecer às ordens do General Guph até ele se tornar alimento dos cães. Qualquer homem que não obedecer a seu novo General será jogado fora imediatamente. Agora vocês estão dispensados.

Guph foi até a caverna particular do Rei, sentou-se na cadeira de ametista e colocou os pés no braço do trono de rubi do Rei. Ele então acendeu o cachimbo, jogou o carvão fresco que tirara do bolso sobre o pé esquerdo do Rei e assoprou a fumaça nos olhos do Rei, ajeitando-se confortavelmente. Ele era um Nomo velho e sábio e tinha conhecimento de que a melhor maneira de se dar bem com Roquat, o Vermelho, era aparentando não ter medo dele.

— Estou pronto para nossa conversa, sua Majestade — disse ele.

O Rei tossiu e olhou para seu novo General com fúria.

— Você não tem medo de tomar tais liberdades com seu monarca? — perguntou ele.

— Ah, não — disse Guph, com calma, e então soprou uma fumaça que se enrolou em volta do nariz do Rei e o fez espirrar. — O senhor quer conquistar a Cidade das Esmeraldas, e eu sou o único Nomo em todo o seu domínio capaz de fazer isso. Então o senhor vai tomar cuidado para não me machucar até eu ter realizado seus desejos. Depois disso...

— Bem, o que vai acontecer depois? — perguntou o Rei.

— Depois disso o senhor vai estar tão grato que não vai querer me fazer nenhum mal — respondeu o General.

— Esse é um argumento muito bom — disse Roquat. — Mas e se você fracassar?

— Então será a hora da máquina de corte. Concordo com isso — anunciou Guph. — Mas se o senhor fizer como eu disser, não haverá fracasso. O seu problema, Roquat, é que você não pensa com cautela. Já eu, penso. Você iria em frente e levaria seu exército pelo túnel até Oz, e seria vencido e voltaria para cá. E a razão para eu não fazer isso é que quando saio marchando já tenho todos os meus planos em mente, além de um exército de aliados para ajudar meus Nomos.

— O que você quer dizer com isso? — perguntou o Rei.
— Vou explicar, Rei Roquat. Você vai atacar não só um país encantado, mas um país encantado e poderoso. Eles não têm um exército muito grande em Oz, mas a Princesa que o governa tem uma varinha mágica; e a pequena garotinha Dorothy tem seu Cinto Mágico; e ao norte da Cidade das Esmeraldas vive a esperta feiticeira chamada Glinda, a Boa, que comanda os espíritos do ar. Também ouvi dizer que existe um maravilhoso Mágico no palácio de Ozma, que

é tão habilidoso que as pessoas costumavam pagar para vê-lo realizar suas mágicas na América. Como você pode ver, não vai ser fácil vencer toda essa magia.

— Temos cinquenta mil soldados! — exclamou o Rei, com orgulho.

— Sim, mas são Nomos — observou Guph, pegando um lenço de seda no bolso do Rei para limpar seus sapatos com ele.

— Nomos são imortais, mas eles não são bons em magia. Quando você perdeu seu famoso Cinto, a maior parte de seu poder foi embora também. Contra Ozma, você e seus Nomos não têm nenhuma força.

Os olhos de Roquat brilharam de raiva.

— Então vou mandar você para a máquina de corte! — gritou ele.

— Ainda não — disse o General, enchendo seu cachimbo com o tabaco particular do Rei.

— O que você sugere fazer? — perguntou o monarca.

— Eu sugiro obter o poder que precisamos — respondeu Guph. — Existe um bom número de criaturas más com poderes mágicos suficientes para destruir e conquistar a Terra de Oz. Vamos trazê-las para o nosso lado, agrupá-las e então capturar Ozma e seu povo de surpresa. É tudo muito simples e fácil quando se sabe como fazer. Sozinhos não conseguiríamos atingir a Governante de Oz, mas com a ajuda das forças do mal que podemos convocar, nosso sucesso será alcançado com facilidade.

O Rei Roquat estava encantado com essa ideia, pois percebeu como ela era boa.

— Certamente, Guph, você é o melhor General que já tive! — exclamou ele, com seus olhos brilhando de alegria. — Vá logo e arrume os preparativos com as forças do mal para nos ajudar, e enquanto isso começarei a cavar o túnel.

— Achei que você concordaria comigo, Roquat — respondeu o novo General. — Hoje à tarde vou visitar o Chefe dos Whimsies.

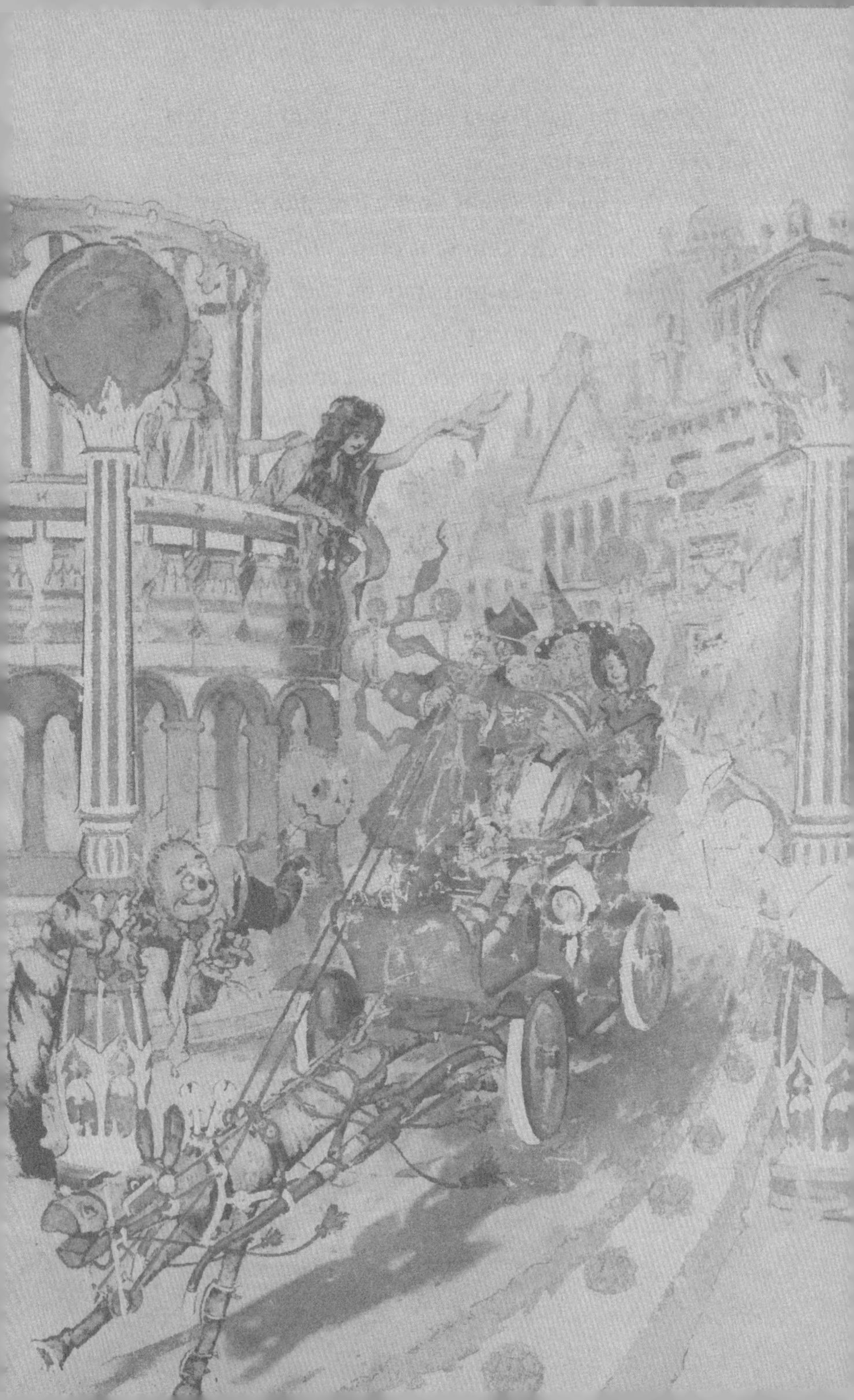

CAPÍTULO 5
QUANDO DOROTHY SE TORNOU UMA PRINCESA

Quando o povo da Cidade das Esmeraldas soube que Dorothy voltara para eles todos queriam vê-la, pois a garotinha era a preferida por todos na Terra de Oz. De tempos em tempos alguns dos camaradas do grande mundo do lado de fora encontrava seu caminho nessa terra encantada, mas todos, com exceção de um, se tornaram companheiros de Dorothy e se mostraram ser pessoas agradáveis. A exceção sobre quem falo é o maravilhoso Mágico de Oz, um intérprete de mão leve de Omaha que subiu em um balão e foi levado por uma corrente de ar até a Cidade das Esmeraldas. Seus truques estranhos e intrigantes fizeram o povo de Oz acreditar durante algum tempo que ele era um grande mágico, e ele governou aquelas terras até Dorothy chegar ali para visitar o país pela primeira vez e mostrar a todos que o Mágico não passava de um impostor. Ele era um homenzinho amável, de bom coração, e Dorothy acabou gostando dele. Quando, depois de um tempo, o Mágico voltou para a Terra de Oz, Ozma o recebeu amavelmente e deu a ele uma habitação em uma parte do palácio.

Além do Mágico, dois outros personagens do mundo de fora também receberam permissão para morar na Cidade das Esmeraldas. O primeiro era um engraçado Homem-Farrapo a quem Ozma tornou Governador do Depósito Real, e o segundo era uma Galinha Amarela chamada Billina, que tinha uma bela casa no jardim dos fundos do palácio onde cuidava de sua família, que ficou bastante grande afinal. Os dois eram velhos conhecidos de Dorothy, então é possível perceber que a garotinha era um personagem bastante importante em Oz, e o povo achou que ela trouxera sorte a eles e a adoravam tanto quanto a Ozma. Durante suas várias visitas, essa garotinha conseguira destruir duas bruxas más que oprimiam o povo, e descobrira um espantalho com vida que agora era um dos personagens mais populares em todo o país encantado. Com a ajuda do Espantalho ela resgatara Nick Chopper, um Homem de Lata que enferrujara em uma floresta solitária, e o homem de lata agora era o Imperador do País dos Winkies, e era muito adorado graças a seu gentil coração. Não é de se admirar que o povo achava que Dorothy trouxera sorte a eles! Além disso, por mais estranho que parecesse, ela realizara todas essas maravilhas não por ser uma fada ou por ter algum tipo de poder mágico, mas porque ela era uma menininha simples, doce e verdadeira que era honesta consigo mesma e com todos que encontrava. Nesse mundo no qual vivemos a simplicidade e a gentileza são as únicas varinhas mágicas capazes de realizar maravilhas, e na Terra de Oz Dorothy descobriu que essas mesmas qualidades lhe trouxeram o amor e a admiração do povo. Na verdade, a garotinha fizera muitos amigos queridos no país encantado, e a única tristeza que os Ozianos experimentavam era quando Dorothy os deixava e voltava para seu lar no Kansas.

Agora ela fora recebida com alegria, embora ninguém além de Ozma soubesse que ela finalmente voltara para ficar ali para sempre.

Naquela noite Dorothy recebeu muitos visitantes e entre eles estavam pessoas importantes como Tiktok, um homem mecânico que pensava, falava e se mexia através de um mecanismo de relógio; seu velho companheiro, o simpático Homem-Farrapo; Jack, Cabeça de Abóbora, cujo corpo era feito de lenha e cuja cabeça era uma abóbora madura com o rosto esculpido nela; o Leão Covarde e o Tigre Faminto, duas grandes feras da floresta, que serviam à Princesa Ozma, e o Professor G. M. Besourão T. I., uma criatura notável. Um dia ele fora um minúsculo besouro, se arrastando em uma sala de aula, mas fora descoberto e diversas vezes ampliado para que pudesse ser observado melhor, e quando estava nesse estado ampliado conseguiu fugir. Ele permaneceu grande para sempre, e se vestia como um dândi e também era cheio de conhecimento e informação (que são talentos distintos), e tornara-se professor e diretor do Colégio Real.

Dorothy teve momentos agradáveis com esses velhos amigos, e também conversou por bastante tempo com o Mágico, que era pequeno, velho, mirrado e muito magro, mas era tão feliz e ativo quanto uma criança. Depois ela foi ver a família de pintinhos de Billina, que crescia rapidamente a cada dia.

Totó, o cachorrinho preto de Dorothy, também foi recebido de maneira cordial. Totó era um amigo especial do Homem-Farrapo, e conhecia todos os outros. Como era o único cachorro na Terra de Oz, era muito respeitado pelo povo, que acreditava que os animais tinham direito de serem levados em consideração caso se comportassem de maneira adequada.

Dorothy tinha quatro cômodos adoráveis no palácio, que ficavam sempre separados para seu uso e que eram chamados de "aposentos de Dorothy". Tais aposentos consistiam em uma linda sala de estar, uma sala de se vestir, um elegante quarto de dormir e um grande banheiro de mármore. E tais aposentos eram tudo o que aquele coração poderia desejar, arrumados de maneira cuidadosa sob as instruções de Ozma para serem usados por sua amiga. As camareiras reais tinham as medidas da garotinha e por isso mantinham os armários de sua sala de vestir cheios de adoráveis vestidos de todos os tipos e adequados para todas as ocasiões.

Por isso Dorothy não trouxera com ela seus velhos vestidos de chita e algodão! Ali tudo o que poderia ser desejado por uma menininha existia aos montes, e nada tão rico e lindo poderia ser encontrado na maior das lojas de departamento da América. Claro que Dorothy gostava de todo aquele luxo, e o único motivo para ela, até agora, ter preferido viver no Kansas era o amor de seu tio e tia e a necessidade que ela sentia de estar com eles.

Agora, porém, tudo mudaria, e Dorothy estava mais alegre por saber que seus queridos parentes compartilhariam sua grande sorte e poderiam desfrutar dos encantamentos da Terra de Oz, do que ficava feliz em possuir tanto luxo só para si.

Na manhã seguinte, a pedido de Ozma, Dorothy vestiu-se com um lindo vestido azul-celeste de seda, decorado com pérolas de verdade. As fivelas de seus sapatos também estavam enfeitadas com pérolas, e mais joias de valor inestimável enfeitavam uma linda tiara que ela usava na cabeça.

— Pois — disse sua amiga, Ozma — de agora em diante, minha querida, você deve assumir seu lugar de direito como uma Princesa de Oz, e por ser minha companheira escolhida deve se vestir de forma condizente com a dignidade de sua posição.

Dorothy concordou com isso, embora soubesse que nenhum vestido ou joia poderia tirar dela o ar de garotinha simples que sempre tivera.

Logo depois que tomaram o café da manhã – as garotas comeram juntas no lindo aposento privativo de Ozma – a Governante de Oz disse:

— Agora, querida amiga, usaremos o Cinto Mágico para transportar seu tio e tia do Kansas para a Cidade das Esmeraldas. Mas acho que seria mais apropriado, para receber nossos distintos convidados, nos acomodarmos na Sala do Trono.

— Ah, eles não são distintos, Ozma. — disse Dorothy. — São apenas pessoas normais, como eu.

— Por serem seus amigos e parentes, Princesa Dorothy, eles certamente são distintos — respondeu a Governante, com um sorriso.

— Eles... eles mal vão saber como agir quando virem toda aquela magnífica mobília e decoração — protestou Dorothy, com seriedade. — Talvez eles fiquem assustados ao ver sua imensa Sala do Trono, e talvez seja melhor irmos para o jardim, Ozma, onde crescem os rabanetes e as galinhas brincam. Isso pareceria mais natural para o tio Henry e a tia Em.

— Não; primeiro eles devem ver a minha Sala do Trono — respondeu Ozma, decidida; e quando ela falou naquele tom, Dorothy soube que não deveria se opor a ela, pois Ozma estava acostumada a fazer tudo do seu jeito.

Então juntas as duas foram até a Sala do Trono, um cômodo imenso no centro do palácio. Ali ficava o trono real, feito de ouro e incrustado com pedras preciosas suficientes para suprir uma dezena de joalherias de nosso mundo.

Ozma, que usava o Cinto Mágico, sentou-se no trono e Dorothy sentou-se aos seus pés. Havia muitas damas e cavalheiros da corte reunidos dentro da sala, usando roupas elegantes e belas joias. Dois imensos animais estavam agachados, um de cada lado do trono – o Leão Covarde e o Tigre Faminto. Em uma varanda no alto da cúpula uma orquestra tocava uma música suave, e debaixo da cúpula duas fontes elétricas soltavam jatos de água perfumada colorida que subiam até quase a altura do teto.

— Você está pronta, Dorothy? — perguntou a Governante.

— Estou — respondeu Dorothy. — Mas não sei se a tia Em e o tio Henry estão.

— Isso não importa — declarou Ozma. — A velha vida que levavam não pode ser muito interessante para eles, e quanto antes eles começarem a nova vida, mais felizes ficarão. Aí vem eles, minha querida!

Enquanto ela falava, ali, diante do trono, apareceram o tio Henry e a tia Em, que por um momento ficaram imóveis, olhando com o rosto branco e atônito a cena que viam à sua frente. Se as damas e cavalheiros ali presentes não fossem tão polidos, tenho certeza de que teriam rido dos dois forasteiros.

Tia Em estava com a saia de chita "arregaçada" e usava um avental xadrez azul desbotado. Seu cabelo estava bastante desarrumado e ela usava um par de chinelos velhos do tio Henry. Em uma mão ela segurava um pano de prato e na outra um prato de barro rachado, que ela secava no momento em que foi transportada para a Terra de Oz.

O tio Henry, no momento do acontecimento, estava no velho celeiro "fazendo coisas". Ele usava um chapéu de palha esfarrapado e muito sujo, uma camisa xadrez sem gola e um macacão azul enfiado na parte de cima de suas velhas botas de couro.

— Pelas barbas do profeta! — soltou tio Henry, olhando em volta perplexo.

— Ora, viajei! — soltou a tia Em, com a voz rouca e assustada.

Ela então olhou para Dorothy e disse:

— A-a-a-a-quela ali não parece com a nossa menininha... a nossa Dorothy, Henry?

— Ei, cuidado, Em! — exclamou o velho quando a tia Em deu um passo à frente. — Cuidado com essas feras selvagens, você vai morrer.

Mas agora Dorothy foi até eles, abraçou e beijou a tia e o tio com carinho, e depois segurou suas mãos.

— Não tenham medo — disse ela aos dois. — Agora vocês estão na Terra de Oz, onde vão viver para sempre, e ficarão confortáveis e felizes. Vocês nunca mais terão de se preocupar com nada, pois não haverá nada com o que se preocuparem. E vocês devem tudo isso à bondade da minha amiga, a Princesa Ozma.

Ela então conduziu os dois até Ozma e continuou:

— Vossa Alteza, esse é o tio Henry. E essa é a tia Em. Eles querem agradecê-la por trazê-los do Kansas para cá.

Tia Em tentou arrumar o cabelo, e escondeu seu pano de prato e a louça embaixo do avental enquanto se inclinava para fazer uma reverência para a adorável Ozma.

Tio Henry tirou seu chapéu de palha e segurou-o acanhadamente nas mãos.

Mas a Governante de Oz levantou-se de seu trono e foi até eles para cumprimentar seus convidados recém-chegados, e ela sorriu para eles de maneira tão doce que parecia que eles eram um rei e uma rainha.

— Vocês são muito bem-vindos aqui, eu os trouxe por causa da Princesa Dorothy — disse ela, amavelmente —, e espero que sejam muito felizes em sua nova casa.

Então ela se virou para seus cortesãos, que estavam em silêncio e prestando atenção à cena, e acrescentou:

— Apresento a vocês, meu povo, os adorados tios de nossa Princesa Dorothy, o tio Henry e a tia Em, que a partir de agora serão súditos de nosso reino. Será um prazer ter vocês mostrando a eles toda bondade e honra ao seu alcance, e se juntar a mim para torná-los felizes e contentes.

Ao ouvir isso, todos aqueles que estavam lá reunidos curvaram-se respeitosamente perante o velho fazendeiro e sua esposa, que fizeram uma pequena reverência de volta.

— E agora — disse Ozma a eles —, Dorothy mostrará a vocês seus aposentos. Espero que gostem deles e aguardo vocês para almoçarem comigo.

Então Dorothy acompanhou seus parentes e, assim que saíram da Sala do Trono e ficaram sozinhos no corredor, a tia Em apertou a mão de Dorothy e disse:

— Menina, menina! Como é que você conseguiu nos trazer para cá tão rápido? E isso tudo é real? E vamos mesmo ficar aqui, como ela disse? E o que significa tudo isso?

Dorothy riu.

— Por que você não nos contou o que ia fazer? — perguntou o tio Henry, com reprovação. — Se eu soubesse disso teria vestido minhas roupas de domingo.

— Vou explicar tudo para vocês assim que chegarmos a seus aposentos — prometeu Dorothy. — Vocês têm muita sorte, tio Henry e tia Em; e eu também! E, ah, estou tão feliz em ter vocês aqui, finalmente!

Enquanto andava ao lado da garotinha, tio Henry afagava o bigode pensativo.

— Me parece, Dorothy, que não vamos virar seres encantados muito elegantes — observou ele.

— E o meu cabelo está assustador! — choramingou tia Em.

— Não se preocupem com isso — respondeu a garotinha, tranquilizando-os. — Você não precisa fazer nada mais agora além de ficar bonita, tia Em; e o tio Henry não vai mais ter de trabalhar até as costas começarem a doer, isso é certo.

CAPÍTULO 6
QUANDO GUPH VISITOU OS WHIMSIES

O novo general do exército do Rei Nomo sabia perfeitamente bem que fracassar em seus planos significaria a morte para ele. Ainda assim, ele não estava nem um pouco ansioso ou preocupado. Ele detestava qualquer pessoa que fosse boa e desejava transformar todas as pessoas felizes em infelizes. Por isso ele aceitara essa perigosa posição como General com bastante boa vontade, na certeza de que com sua mente perversa ele seria capaz de fazer muitos estragos e conseguiria, afinal, conquistar a Terra de Oz.

Mas Guph estava determinado a ser cauteloso e a pensar bem sobre seus planos, para não fracassar. Ele argumentava que apenas pessoas descuidadas fracassam no que tentavam fazer.

As montanhas sob as quais as extensas cavernas do Rei Nomo estavam localizadas agrupavam-se ao norte da

Terra de Ev, que ficava exatamente do lado oposto do deserto mortal ao leste da Terra de Oz. Como as montanhas ficavam também na borda do deserto, o Rei Nomo acreditava que precisava apenas cavar um túnel embaixo do deserto para chegar aos domínios de Ozma. Ele não queria que seu exército saísse de baixo do chão no País dos Winkies, que era a parte da Terra de Oz mais perto do país do Rei Roquat, pois as pessoas avisariam que os viram e Ozma poderia fortificar a Cidade das Esmeraldas e reunir um exército para defendê-la. Ele queria pegar todo o povo de Oz de surpresa; por isso decidiu cavar o túnel até a Cidade das Esmeraldas, onde ele e seu exército poderiam sair do subsolo sem avisos e render o povo, antes que este tivesse tempo para se defender.

Roquat, o Vermelho, começou a trabalhar no túnel rapidamente, selecionando milhares de mineiros para o trabalho e construindo-o alto e amplo o suficiente para que seu exército conseguisse marchar por ele com facilidade. Os Nomos estavam acostumados a construir túneis já que todo o reino no qual viviam era subterrâneo, por isso seu progresso era rápido.

Enquanto esse trabalho era feito, o General Guph foi sozinho visitar o Chefe dos Whimsies.

Esses Whimsies eram pessoas curiosas que viviam em um país afastado. Tinham corpos grandes e fortes, mas cabeças tão pequenas que não chegavam a ser maiores do que a fechadura de uma porta. É claro que tais cabeças minúsculas não podiam conter nenhuma grande quantidade de miolos, e os Whimsies tinham tanta vergonha de sua aparência e tão pouco bom senso que usavam cabeças grandes, feitas de caixas de papelão, que eram presas em suas próprias cabecinhas. Nessas cabeças de papelão costuravam lã de ovelha para servir como cabelo e a lã tinha cores diversas – rosa, verde e lavanda eram as cores preferidas.

Os rostos dessas cabeças falsas eram pintados de maneira ridícula, de acordo com a vontade de seus proprietários, e tais criaturas tão grandes e corpulentas tinham uma aparência tão excêntrica e disparatada usando aquelas máscaras estranhas que receberam o nome de "Whimsies."[1] Como eram tolos, eles acharam que ninguém suspeitaria que suas pequenas cabeças estavam dentro daquelas imitações que fizeram, assim como não sabiam que é tolice tentar aparentar ser diferente do que a natureza nos fez.

O Chefe dos Whimsies tinha tão pouca sabedoria quanto os outros, e fora nomeado chefe simplesmente porque ninguém entre eles era mais esperto ou mais capaz de governar o povo. Os Whimsies eram espíritos maléficos e não podiam ser mortos. Eram odiados e temidos por todos e eram conhecidos como sendo terríveis lutadores porque eram tão fortes e musculosos e não tinham inteligência suficiente para perceber quando tinham sido derrotados.

O General Guph achou que os Whimsies seriam uma grande ajuda aos Nomos para conquistar Oz, pois sob sua li-

---

1. Nota da tradutora: "Whimsies" é uma referência à palavra em inglês "whimsical" que significa extravagante, excêntrico. No texto em inglês o autor diz que o povo foi chamado de "Whimsies" por sua aparência "whimsical".

derança eles poderiam ser induzidos a brigar enquanto conseguiam continuar em pé. Assim ele viajou para o país e pediu para ver o Chefe, que vivia em uma casa que tinha uma imagem de sua cabeça falsa grotesca pintada sobre a porta.

    A cabeça falsa do Chefe tinha cabelo azul, o nariz virado para cima e uma boca que se estendia até a metade do rosto. Grandes olhos verdes foram pintados nela, mas no meio do queixo havia dois pequenos buracos no papelão para que o Chefe pudesse enxergar através deles com seus próprios olhos minúsculos, pois quando a grande cabeça era presa em seus ombros os olhos de sua cabeça original ficavam na altura do queixo falso.

    O General Guph disse para o Chefe dos Whimsies:

    — Nós, Nomos, vamos conquistar a Terra de Oz e apreender o Cinto Mágico de nosso Rei, que o povo de Oz roubou dele. Depois vamos saquear e destruir o país todo. E queremos a ajuda dos Whimsies.

    — Haverá luta? — perguntou o Chefe.

    — Muita — respondeu Guph.

    Isso deve ter agradado o Chefe, pois ele se levantou e dançou em volta da sala por três vezes. Depois sentou-se novamente, ajeitou sua cabeça falsa e disse:

    — Não temos nenhum problema com Ozma de Oz.

    — Mas vocês, Whimsies, adoram lutar e aí está uma esplêndida chance de fazerem isso — respondeu Guph.

    — Espere até eu cantar uma música — respondeu o Chefe.

Ele então recostou-se em sua cadeira e cantou uma música tola que, para o General, parecia não ter significado algum, embora ele tivesse ouvido com atenção. Quando terminou, o Chefe dos Whimsies olhou para ele através dos buracos de seu queixo e perguntou:

— Que recompensa você nos dará se ajudarmos você?

O General estava preparado para aquela pergunta e já havia pensado nisso durante sua jornada. As pessoas normalmente fazem algo bom sem esperar ganhar nada em troca, mas para fazer algo ruim o pagamento é sempre necessário.

— Quando recuperarmos nosso Cinto Mágico — respondeu ele — nosso Rei, Roquat, o Vermelho, usará seu poder para dar a cada Whimsie uma cabeça de verdade, tão grande e bonita quanto as cabeças falsas que vocês usam hoje. Assim vocês não precisarão mais se envergonhar por seus corpos fortes terem cabeças tão pequenininhas.

— Ah, vocês fariam isso? — perguntou o Chefe, com seriedade.

— Certamente — prometeu o General.

— Vou conversar com o meu povo — disse o Chefe.

Ele convocou todos os Whimsies para uma reunião e contou a eles o que os Nomos lhes ofereceram. As criaturas ficaram encantadas com a barganha e rapidamente concordaram em lutar ao lado do Rei Nomo e ajudá-lo a conquistar Oz.

Apenas um Whimsie pareceu ter um pouco de bom senso, pois perguntou:

— E se não conseguirmos recuperar o Cinto Mágico? O que vai acontecer então, de que adiantará termos lutado?

Mas eles o jogaram no rio por ter feito uma pergunta tão tola, e riram quando a água estragou sua cabeça de papelão antes que ele conseguisse nadar para fora do rio.

Então o pacto foi firmado e o General Guph ficou feliz com seu sucesso em conquistar aliados tão poderosos.

Mas havia outras pessoas também, tão importantes quanto os Whimsies, que o esperto velho Nomo estava determinado a trazer para o seu lado.

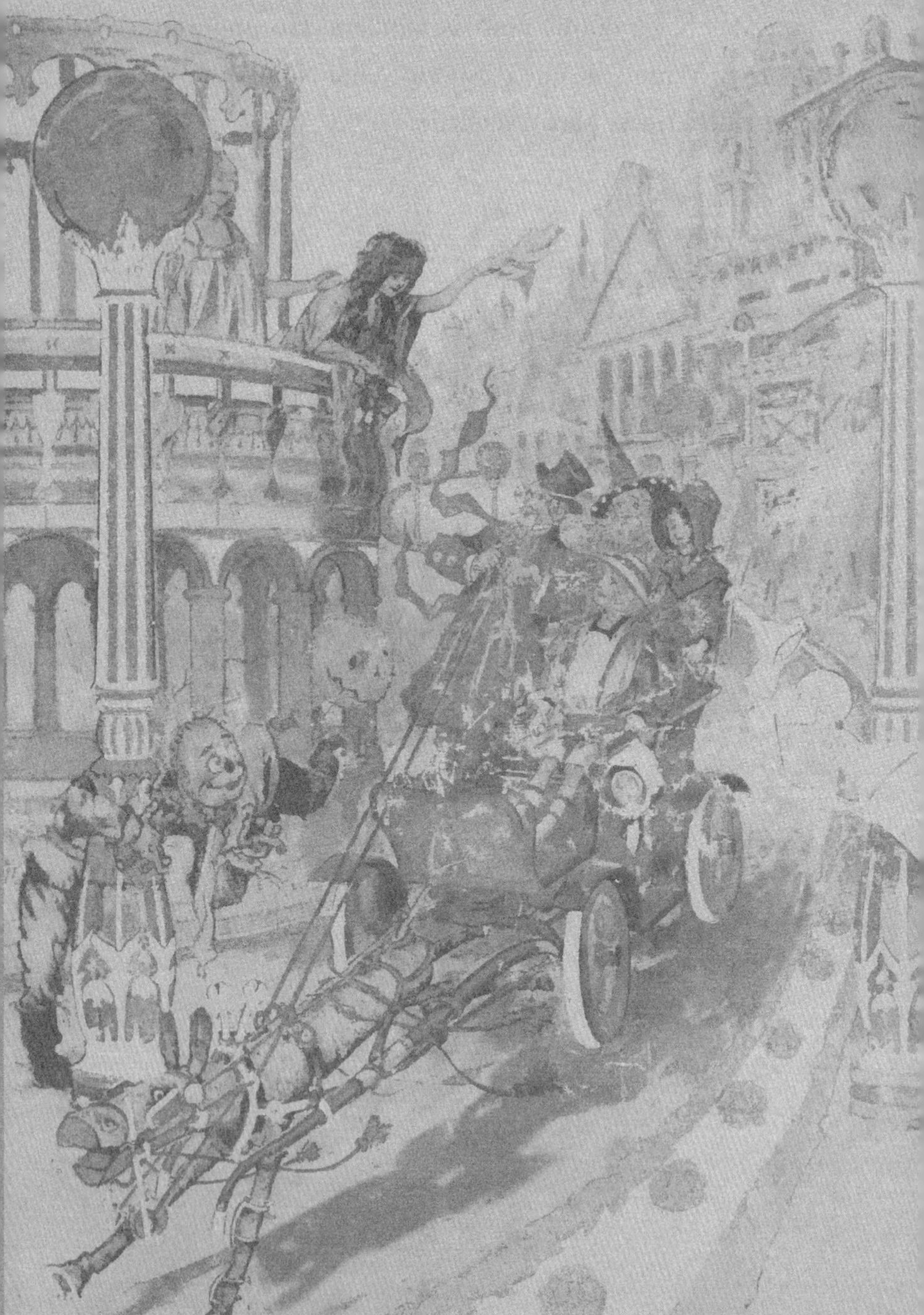

CAPÍTULO 7
QUANDO A TIA EM CONQUISTOU O LEÃO

— Estes são seus aposentos — disse Dorothy, abrindo uma porta.

Tia Em afastou-se ao ver a esplêndida mobília e tapeçarias.

— Não tem algum lugar onde eu possa limpar meus pés? — perguntou ela.

— Logo a senhora vai trocar seus chinelos por sapatos novos — respondeu Dorothy. — Não tenha medo, tia Em. É aqui que a senhora vai morar, então entre e fique à vontade.

Tia Em entrou hesitante.

— É melhor do que o Hotel Topeka! — exclamou ela, admirada. — Mas esse lugar é grande demais para nós, menina. Não podemos ficar em algum quarto no sótão, que é mais a nossa cara?

— Não — disse Dorothy. — Vocês vão morar aqui porque Ozma quer que seja assim. E todos os cômodos deste palácio são tão elegantes quanto esse, e alguns são ainda melhores. Não adianta reclamar, tia Em. É preciso ser elegante e pomposo na Terra de Oz, quer você queira ou não; então é melhor a senhora aceitar.

— Que azar — respondeu a tia, olhando em volta com admiração. — Mas as pessoas conseguem se acostumar com tudo, se tentarem, não é Henry?

— Ora, se é assim — respondeu o tio Henry devagar —, acho que é melhor aceitar o que estão nos dando e não fazer perguntas. Já viajei um pouco, Em, na minha vida, e você não; isso faz diferença entre nós.

Dorothy mostrou então os aposentos a eles. O primeiro cômodo era uma linda sala de estar, com janelas abertas que davam para um jardim de roseiras. Depois vinham dois quartos de dormir separados, um para a tia Em e outro para o tio Henry, com um belo banheiro entre eles. A tia Em ainda tinha uma bela cômoda e Dorothy abriu os armários e mostrou vários trajes refinados que haviam sido providenciados para a tia pelas costureiras reais, que trabalharam a noite toda para conseguir deixá-los prontos. Tudo o que a tia Em poderia precisar estava dentro das gavetas e armários, e sua penteadeira estava coberta com artigos de higiene revestidos de ouro.

Tio Henry tinha nove trajes de cerimônias, confeccionados à popular moda Munchkin, com calções na altura dos joelhos, meias de seda e sapatos com fivela de pedras preciosas. Os chapéus para combinar com esses trajes tinham a parte de cima pontuda e abas largas com pequenos sinos de ouro nas beiradas. Suas camisas eram feitas de linho fino com busto cheio de babados, e seus coletes eram ricamente bordados com seda colorida.

Tio Henry decidiu que tomaria um banho primeiro para depois vestir um traje de cetim azul que lhe agradara bastante. Ele aceitou sua boa sorte com serena compostura e recusou a ajuda de um serviçal. Já a tia Em estava "toda atarantada", como ela disse, e Dorothy, Jellia Jam, a governanta, e duas camareiras levaram bastante tempo para vesti-la, arrumar seu cabelo e deixá-la "nos trinques", como ela fazia questão de dizer. Ela queria parar e admirar tudo o que estivesse ao alcance de seus olhos, e suspirava continuamente e declarava que tal enfeite era bom demais para uma velha senhora do campo, e que ela nunca pensou que teria de "virar madame" naquela altura da vida.

Finalmente ela ficou pronta, e quando elas entraram na sala de estar encontraram o tio Henry com sua roupa azul, andando solenemente de um lado para o outro na sala. Ele havia aparado a barba e o bigode e tinha uma aparência bastante digna e respeitosa.

— Diga-me, Dorothy — disse ele —, todos os homens daqui usam troços assim?

— Sim — respondeu ela — todos, menos o Espantalho e o Homem-Farrapo – e, claro, o Homem de Lata e o Tiktok, que são feitos de metal. O senhor vai ver que todos os homens da corte de Ozma se vestem assim, como o senhor está vestido – talvez um pouco mais elegantes.

— Henry, você está parecendo um ator de televisão — anunciou a tia Em, olhando para o marido de maneira crítica.

— E você, Em, está mais exibida do que um pavão — respondeu ele.

— Acho que você tem razão — disse ela, com pesar. — Mas somos vítimas indefesas da alta realeza.

Dorothy estava se divertindo muito.

— Venham comigo — disse ela. — Vou mostrar o palácio para vocês.

Ela os levou pelos lindos cômodos do palácio e apresentou-os a todas as pessoas que encontraram pelo caminho. Ela também lhes mostrou os lindos aposentos dela, que não eram longe dos deles.

— Então é tudo verdade — disse a tia Em, com os olhos arregalados de espanto. — E o que Dorothy nos contava sobre esse país da fantasia eram fatos verdadeiros e não sonhos! Mas onde estão todas as criaturas estranhas que você conheceu aqui?

— Sim, cadê o Espantalho? — perguntou o tio Henry.

— Ora, neste momento ele foi visitar o Homem de Lata, que é o Imperador do País dos Winkies — respondeu a garotinha. — Vocês o conhecerão quando ele voltar e tenho certeza de que vão gostar dele.

— E onde está o Maravilhoso Mágico? — perguntou a tia Em.

— Vocês vão conhecê-lo no almoço com Ozma, pois ele mora aqui no palácio — foi a resposta.

— E Jack, Cabeça de Abóbora?

— Ah, ele mora um pouco afastado da cidade, em sua própria plantação de abóboras. Iremos até lá algum dia para vocês o conhecerem, e vou chamar o Professor Besourão também. O Homem-Farrapo estará no almoço, eu acho, e Tiktok também. E agora vou levar vocês para conhecerem a Billina, que tem sua própria casa.

Eles foram então até o pátio dos fundos, e depois de andar por caminhos sinuosos durante algum tempo nos lindos jardins viram uma atraente casa onde a Galinha Amarela estava sentada na varanda da frente tomando sol.

— Bom dia, minha querida Dona — gritou Billina, voando na direção deles para recebê-los. — Eu esperava que você me chamasse, pois ouvi dizer que você tinha voltado e que trouxe seu tio e tia com você.

— Viemos para ficar para sempre dessa vez, Billina — exclamou Dorothy com alegria. — O tio Henry e a tia Em agora pertencem a Oz tanto quanto eu!

— Então eles são pessoas de muita sorte — declarou Billina —, pois não poderia existir um lugar melhor para se viver. Mas venha, minha querida, preciso mostrar a você todas as minhas Dorothys. Nove ainda estão vivas e cresceram e viraram galinhas respeitáveis, mas uma delas pegou gripe na festa de aniversário da Ozma e morreu de pevide, e outras duas se transformaram em galos terríveis, então precisei trocar seus nomes de Dorothy para Daniel. Todos têm a letra "D" gravada em seus medalhões, você se lembra, aquele que tem a sua imagem dentro, e o D serve tanto para Daniel quanto para Dorothy.

— Você chama os dois galos de Daniel? — perguntou o tio Henry.

— Sim, pois sim. Tenho nove Dorothys e dois Daniels; e as nove Dorothys têm oitenta e seis filhos e filhas e mais de trezentos netos — disse Billina, com orgulho.

— E que nomes você deu para todos eles, querida? — perguntou a garotinha.

— Ah, são todos Dorothys e Daniels, alguns são Junior, outros Junior ao quadrado. Dorothy e Daniel são dois nomes bons, e não vejo por que pensar em outros nomes — declarou a Galinha Amarela. — Mas, veja só, Dorothy, que grande família de galinhas eu acabei arrumando, e nosso número aumenta quase todo dia! Ozma não sabe o que fazer com todos os ovos que botamos, e ninguém nunca nos come ou nos machuca, como acontece com as galinhas lá no seu país. Eles nos dão tudo para nos satisfazer e nos deixar felizes e eu, minha querida, sou conhecida como Rainha e Governadora de todas as galinhas de Oz, pois sou a mais velha e fui quem deu início a toda a colônia.

— Você deve se sentir muito orgulhosa, madame — disse o tio Henry, que estava impressionado em ouvir uma galinha falar de maneira tão sensata.

— Ah, eu me sinto, sim — respondeu ela. — Tenho o mais adorável colar de pérolas que já vi. Entrem na minha casa comigo e vou mostrá-lo a vocês. E tenho nove braceletes para perna e um alfinete de diamante para cada asa. Mas só uso os alfinetes em ocasiões especiais.

Eles seguiram a Galinha Amarela para dentro da casa, que a tia Em declarou estar brilhando de limpo. Não puderam se sentar, pois todas as cadeiras de Billina eram poleiros feitos de prata; por isso tiveram de ficar em pé enquanto a galinha lhes mostrava seus tesouros.

Tiveram depois de ir aos quartos dos fundos, ocupados pelas nove Dorothys e pelos dois Daniels de Billina, galinhas amarelas gordinhas que cumprimentaram os visitantes com bastante educação. Era fácil perceber que estavam todos muito bem alimentados e que Billina se preocupava com sua educação.

No quintal estavam todas as crianças e netos desses onze filhos mais velhos e eram de todos os tamanhos, desde galinhas bem criadas a minúsculos pintinhos que tinham acabado de sair do ovo. Cerca de cinquenta jovens amarelos estavam na escola, e aprendiam boas maneiras e gramática ensinadas por uma galinha jovem que usava óculos. Eles cantaram em coro músicas patrióticas da Terra de Oz, em homenagem a seus visitantes, e tia Em ficou bastante impressionada com essas galinhas falantes.

Dorothy queria ficar e brincar um pouco com as galinhas jovens, mas tio Henry e tia Em não tinham visto o terreno e os jardins do palácio e queriam conhecer melhor a maravilhosa e adorável terra na qual agora iriam viver.

— Vou ficar aqui enquanto andam um pouco por aí — disse Dorothy. — Vocês estarão em segurança em qualquer lugar aonde forem, e podem fazer o que quiserem. Quando se cansarem, voltem para o palácio e dirijam-se até seus aposentos, irei até lá buscar vocês para o almoço.

Tio Henry e tia Em saíram para explorar o terreno e Dorothy sabia que eles não se perderiam, pois todas as terras do palácio eram cercadas pelos grandes muros de mármore verde enfeitados com esmeraldas.

Usar roupas bonitas, morar em um palácio e serem tratados com respeito e consideração por todos a sua volta eram tratamentos raros para duas pessoas tão simples, que moraram no campo a vida toda e não conheciam nenhum tipo de prazer. Eles estavam realmente muito felizes enquanto caminhavam pelas calçadas repletas de sombras e apreciavam as lindas flores e arbustos, com a sensação de que sua nova casa era mais bonita do que qualquer pessoa fosse capaz de descrever.

De repente, quando viraram em uma esquina e passaram por uma abertura em uma cerca alta, ficaram frente a frente com um Leão enorme, que se agachou sobre a grama verde e parecia surpreso ao olhar para eles.

Os dois pararam de supetão, o tio Henry tremia de medo e a tia Em estava aterrorizada demais para gritar. A pobre mulher agarrou o pescoço do marido e gritou:

— Salve-me, Henry, salve-me!

— Não sou capaz de salvar nem a mim mesmo, Em — respondeu ele, com a voz rouca. — Esse animal parece ser capaz de comer nós dois, e ainda lamber os beiços pedindo mais! Se pelo menos eu tivesse uma arma...

— E você não tem, Henry? Você não tem uma arma? — perguntou ela, ansiosa.

— Arma nenhuma, Em. Então vamos morrer da maneira mais corajosa e graciosa que pudermos. Eu sabia que essa nossa sorte não ia durar por muito tempo!

— Eu não vou morrer. Não vou ser comida por um leão! — choramingou a tia Em, olhando para a grande fera. Então uma ideia surgiu em sua cabeça e ela sussurrou:

— Henry, ouvi dizer que as feras selvagens podem ser conquistadas pelos humanos através do olhar. Vou ficar encarando aquele leão e vou salvar nossas vidas.

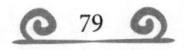

— Tente fazer isso, Em — respondeu ele, também sussurrando. — Olhe para ele do mesmo jeito que você olha para mim quando me atraso para o jantar.

Tia Em olhou para o Leão com o semblante determinado e o olho arregalado. Ficou olhando fixamente para a grande fera, e o Leão, que estivera em silêncio piscando para eles, começou a parecer incomodado e desconfortável.

— A senhora está com algum problema, madame? — perguntou ele com a voz fraca.

Ao ouvirem a terrível fera falar aquilo, tia Em e tio Henry ficaram assustados, e então tio Henry se lembrou que aquele devia ser o Leão que tinham visto na Sala do Trono de Ozma.

— Espere aí, Em! — exclamou ele. — Para com essa história de usar olho de águia e tome coragem. Acho que esse é o mesmo Leão Covarde sobre o qual Dorothy nos falou.

— Ah, é mesmo? — perguntou ela, bastante aliviada.

— Quando ele falou, eu me lembrei disso; e quando ele pareceu tão incomodado, tive certeza — continuou o tio Henry.

Tia Em olhou para o animal com outro interesse agora.

— Você é o Leão Covarde? — perguntou ela. — Você é amigo da Dorothy?

— Sim, eu sou — respondeu o Leão, docilmente. — Dorothy e eu somos velhos amigos e gostamos muito um do outro. Eu sou o Rei das Feras, sabe, e o Tigre Faminto e eu somos os guarda-costas da Princesa Ozma.

— Certamente — disse a tia Em, balançando a cabeça.
— Mas o Rei das Feras não deveria ser covarde.

— Já ouvi isso antes — observou o Leão, bocejando até mostrar suas duas fileiras de grandes dentes brancos afiados. — Mas isso não me ajuda a não sentir medo quando entro em uma batalha.

— O que você faz nessa hora? Corre? — perguntou o tio Henry.

— Não, isso seria tolice, pois o inimigo correria atrás de mim — declarou o Leão. — Então eu tremo de medo e me ponho a ajudar o melhor que consigo; e até hoje sempre ganhei a minha luta.

— Ah, estou começando a entender — disse o tio Henry.

— Você ficou com medo quando olhei para você? — perguntou a tia Em.

— Fiquei com muito medo, madame — respondeu o Leão. — Primeiro achei que vocês fossem ter um ataque. Depois percebi que você estava tentando me dominar com o poder de seu olho, e seu olhar era tão feroz e penetrante que tremi de medo.

Isso agradou muito a senhora, e ela disse com bastante alegria:

— Bom, não vou machucar você, então não tenha mais medo. Só queria testar para que serve o olhar humano.

— O olhar humano é uma arma temerosa — observou o Leão, coçando suavemente o focinho com sua pata para esconder um sorriso. — Se eu não soubesse que vocês são amigos de Dorothy eu poderia ter transformado vocês em pedacinhos só para fugir de seu terrível olhar.

A tia Em encolheu-se ao ouvir isso, e o tio Henry disse rapidamente:

— Fico feliz por você saber quem somos. Bom dia, senhor Leão, esperamos ver você novamente, logo, em algum momento no futuro.

— Bom dia — respondeu o Leão, agachando-se na grama novamente. — Vocês provavelmente vão me ver bastante, se decidirem morar na Terra de Oz.

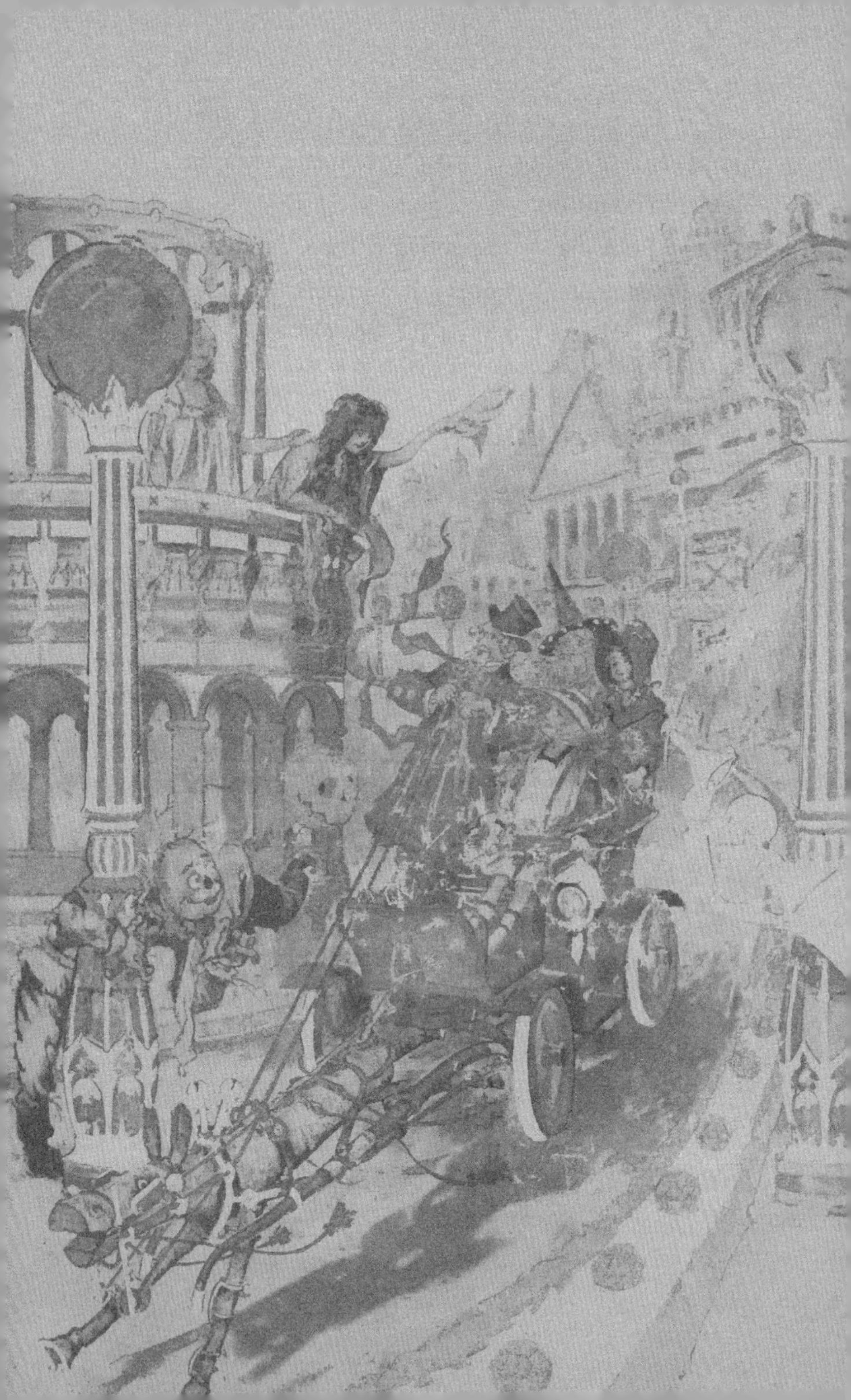

CAPÍTULO 8
QUANDO O GRANDE GALLIPOOT SE UNIU AOS NOMOS

Depois de deixar os Whimsies, Guph continuou sua jornada e seguiu bastante em frente na direção do noroeste. Ele queria chegar às terras dos Growleywogs, e para isso precisava atravessar a Terra Ondulada, que era algo difícil de se fazer. Isso porque a Terra Ondulada era uma sucessão de subidas e descidas, todas muito íngremes e rochosas, e que trocavam de lugar constantemente por ondulação. Enquanto Guph estava subindo uma colina, ela afundou e se tornou um vale, e enquanto ele estava descendo para um vale, o caminho subiu e o levou para o alto de uma montanha. Isso deixava o viajante bastante perplexo, e um forasteiro poderia pensar que nunca conseguiria atravessar a Terra Ondulada. Mas Guph sabia que se continuasse seguindo em frente ele finalmente chegaria a seu destino; por isso ele não deu importância para a mudança de montanhas para vales e continuou a caminhada calmamente.

Como resultado dessa sábia persistência o General chegou ao solo firme e, depois de entrar em uma densa floresta, alcançou os Domínios dos Growleywogs.

Logo que ele atravessou os limites desse domínio, dois guardas vieram atrás dele e o levaram para ver o Grande Gallipoot dos Growleywogs, que fez uma careta feroz para ele e perguntou por que ele se atrevera a invadir seu território.

— Sou o Senhor Alto General do Invencível Exército dos Nomos, e meu nome é Guph — foi a resposta. — O mundo todo estremece ao ouvir esse nome.

O Growleywogs deu uma gargalhada zombeteira ao ouvir isso, e ela atingiu o Nomo em seus braços fortes e o jogou alto no ar. Guph estava consideravelmente abalado ao aterrissar no chão com força, mas não aparentou perceber a impertinência e se recompôs para falar novamente com o Grande Gallipoot.

— Meu mestre, o Rei Roquat, o Vermelho, me enviou aqui para falar com você. Ele quer sua ajuda para conquistar a Terra de Oz.

Neste momento o General parou, e o Grande Gallipoot fez uma careta mais terrível ainda para ele e disse:

— Continue!

A voz do Grande Gallipoot era parcialmente um rugido e parcialmente um rosnado. Ele balbuciou suas palavras e o Guph precisou ouvir com atenção para entender o que ele dizia.

Esses Growleywogs eram realmente criaturas notáveis. Tinham um tamanho gigantesco, mas eram apenas pele, ossos e músculos, não havia nenhuma carne ou gordura em seus corpos. Seus músculos poderosos ficavam embaixo de suas peles, como um punhado de cordas rígidas, e o mais fraco dos Growleywogs era tão forte que era capaz de levantar um elefante e jogá-lo a dez quilômetros de distância.

Parece lamentável o fato de pessoas fortes serem normalmente tão desagradáveis e arrogantes a ponto de ninguém se importar com elas. Na verdade, ser diferente dos seus semelhantes é sempre um infortúnio. Os Growleywogs sabiam que as pessoas não gostavam deles e os evitavam, por isso tornaram-se carrancudos e intratáveis mesmo entre si. Guph sabia que eles detestavam todas as pessoas, incluindo os Nomos, mas esperava conquistá-los, mesmo assim, e sabia que se tivesse sucesso eles lhe seriam de grande ajuda.

— A Terra de Oz é governada por uma garota piegas que é desagradavelmente gentil e boa — continuou ele. — Todo o seu povo é feliz e satisfeito e não têm nenhum tipo de necessidade ou preocupações.

— Continue! — rosnou o Grande Gallipoot.

— Certo dia, o Rei Nomo escravizou a Família Real de Ev, outro povo de bom coração que detestamos — disse o General. — Mas Ozma interferiu, embora não fosse da conta dela, e levou seu exército para nos atacar. Junto com ela havia uma garota do Kansas chamada Dorothy, e uma Galinha Amarela, e eles marcharam diretamente para dentro da caverna do Rei Nomo. Uma vez lá dentro eles libertaram nossos escravos de Ev e roubaram o Cinto Mágico do Rei Roquat, levando-o embora com eles. Por isso agora nosso Rei está construindo um túnel embaixo do deserto mortal, para que possamos marchar até a Cidade das Esmeraldas. Quando chegarmos lá pretendemos conquistar e destruir toda a terra e reaver o Cinto Mágico.

De novo ele parou de falar e, de novo, o Grande Gallipoot rugiu:

— Continue!

Guph tentou pensar no que dizer em seguida, e um pensamento feliz passou por sua cabeça.

— Queremos que vocês nos ajudem a conquistar aquelas terras — anunciou ele —, pois precisamos da poderosa ajuda dos Growleywogs para termos certeza de que não seremos derrotados. Vocês são as pessoas mais fortes do mundo, e detestam criaturas boas e felizes tanto quanto nós, Nomos, detestamos. Tenho certeza de que será um verdadeiro prazer para vocês destruir a linda Cidade das Esmeraldas e, em recompensa por sua valiosa ajuda, permitiremos que vocês tragam para seu país dez mil pessoas de Oz, para se tornarem seus escravos.

— Vinte mil! — rugiu o Grande Gallipoot.

— Tudo bem, prometemos que lhe daremos vinte mil pessoas — concordou o General.

O Gallipoot fez um sinal e rapidamente seu serviçal segurou o General Guph e levou-o para uma prisão, onde o carcereiro se entreteu espetando alfinetes no corpo rechonchudo do velho Nomo, para vê-lo pular e ouvi-lo gritar.

Mas enquanto isso acontecia, o Grande Gallipoot conversava com seus conselheiros, que eram os oficiais mais importantes do país dos Growleywogs. Depois de contar para eles a proposta do Rei Nomo, ele disse:

— Meu conselho é oferecer ajuda para eles. Assim, depois de termos conquistado a Terra de Oz, ganharemos não só vinte mil prisioneiros, mas todos o ouro e pedras preciosas que quisermos.

— Vamos ficar com o Cinto Mágico também — sugeriu um conselheiro.

— Vamos roubar o Rei Nomo e torná-lo nosso escravo — disse outro.

— É uma boa ideia — declarou o Grande Gallipoot. — Gostaria de ter o Rei Roquat como meu escravo. Ele poderia engraxar minhas botas e me trazer mingau todas as manhãs enquanto eu ainda estiver na cama.

— Existe um Espantalho famoso em Oz. Vou pegá-lo para ser meu escravo — disse um conselheiro.

— Eu vou ficar com Tiktok, o homem mecânico — disse um outro.

— Deixe o Homem de Lata para mim — disse um terceiro.

E continuaram falando disso por algum tempo, dividindo o povo e o tesouro de Oz antes de conquistarem a terra. Eles não tinham nenhuma dúvida de que conseguiriam destruir as terras de Ozma. Não eram eles as pessoas mais fortes em todo o mundo?

— O deserto mortal nos manteve longe de Oz — observou o Grande Gallipoot. — Mas agora o Rei Nomo está construindo um túnel e vamos conseguir chegar na Cidade das Esmeraldas com facilidade. Então vamos mandar o pequeno e gordo General de volta para o Rei com nossa promessa de ajudá-lo. Não diremos que pretendemos conquistar os Nomos depois que conquistarmos Oz, mas faremos isso também.

Depois de terem decidido o plano, todos foram jantar, deixando o General Guph ainda na prisão. O Nomo não tinha ideia de que tinha tido sucesso em sua missão, pois como estava na prisão, ele temia que os Growleywogs pretendessem acabar com a vida dele.

Neste momento o carcereiro se cansara de espetar o General com alfinetes, e estava entretido puxando com cuidado os bigodes do Nomo pela raiz, um de cada vez. Essa diversão foi interrompida quando o Grande Gallipoot mandou que buscassem o prisioneiro.

— Espere algumas horas — pediu o carcereiro. — Ainda não tirei nem um quarto de seus bigodes.

— Se você deixar o Grande Gallipoot esperando ele acaba com você — declarou o mensageiro.

— Acho que você tem razão — suspirou o carcereiro. — Leve o prisioneiro, se é o que você quer fazer, mas eu lhe aconselho a chutá-lo durante todo o caminho. Vai ser bem divertido, pois ele é macio como um pêssego maduro.

Então Guph foi levado até o castelo real, onde o Grande Gallipoot lhe disse que os Growleywogs decidiram ajudar os Nomos na conquista da Terra de Oz.

— Quando estiverem prontos — acrescentou ele — me envie uma mensagem e levarei os dezoito mil dos mais poderosos guerreiros para ajudar vocês.

Guph estava tão feliz que se esqueceu completamente da dor causada pelos alfinetes e pelo puxão de seus bigodes.

Ele nem reclamou do tratamento que recebera, mas agradeceu ao Grande Gallipoot e apressou-se a retomar sua jornada.

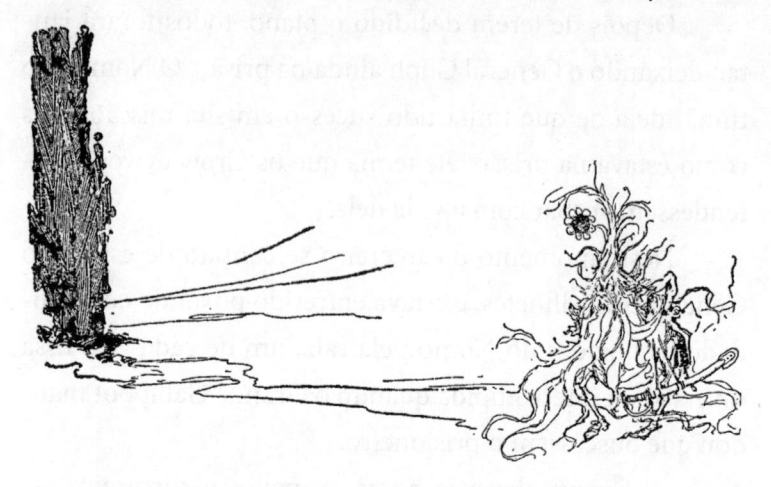

Ele tinha agora garantida a ajuda dos Whimsies e dos Growleywogs, mas seu sucesso fez com que ele desejasse ter mais aliados. Sua própria vida dependia da conquista de Oz, e ele disse a si mesmo:

— Não vou correr riscos. Preciso garantir meu sucesso. Então, quando Oz for destruída, talvez eu me torne um homem maior do que o velho Roquat, e possa me livrar dele e ser o Rei dos Nomos. Por que não? Os Whimsies são mais fortes do que os Nomos, e são meus amigos. Os Growleywogs são mais fortes do que os Whimsies, e também são meus amigos. Existem algumas pessoas ainda mais fortes do que os Growleywogs, e se eu puder convencê-los a me ajudar não terei nada a temer.

CAPÍTULO 9
QUANDO O BESOURÃO MOSTROU COMO ENSINAVA ESPORTES

Não levou muito tempo para Dorothy se estabelecer em seu novo lar, pois ela conhecia o povo, os hábitos e os costumes da Cidade das Esmeraldas tão bem quanto os da sua antiga fazenda no Kansas.

Mas tio Henry e tia Em tiveram um pouco de dificuldade para se acostumar com toda a elegância, pompa e cerimônia do palácio de Ozma, e se sentiam incomodados por serem obrigados a estarem "bem vestidos" o tempo todo. Ainda assim, todos eram muito educados e gentis com eles e esforçavam-se para fazê-los felizes. Ozma, principalmente, importava-se muito com os parentes de Dorothy, por causa da amiga, e sabia muito bem que toda a estranheza com o novo modo de vida acabaria passando com o tempo.

O que mais incomodava os dois idosos era o fato de não haver nenhum trabalho para eles fazerem.

— Agora todo dia parece domingo — declarou a tia Em, solenemente — e não consigo dizer que gosto disso. Se pelo menos me deixassem lavar a louça depois das refeições ou varrer e tirar pó dos meus aposentos, eu estaria bem mais feliz. Henry também não sabe o que fazer e um dia, quando ele deu uma escapada e alimentou as galinhas, Billina ficou brava com ele por alimentá-las no intervalo das refeições. Nunca imaginei que era tão difícil ser rica e ter tudo o que se deseja.

Essas reclamações começaram a preocupar Dorothy e por isso ela teve uma longa conversa com Ozma sobre o assunto.

— Acho que preciso arrumar alguma coisa para eles fazerem — disse a garota Governante de Oz, com seriedade. — Tenho observado seu tio e tia e acredito que eles ficarão mais felizes se tiverem uma ocupação, alguma atividade leve. Enquanto penso nesse assunto, Dorothy, você poderia fazer uma viagem com eles pela Terra de Oz, para visitar alguns lugares interessantes e apresentar seus parentes a algumas criaturas curiosas.

— Ah, isso seria bom! — exclamou Dorothy, animada.

— Vou te dar uma escolta condizente com sua posição de Princesa — continuou Ozma — e você pode ir a lugares que mesmo você ainda não conhece, assim como a outros onde já esteve. Vou fazer um plano de viagem para você e providenciar para que tudo esteja pronto para que vocês comecem a viagem amanhã pela manhã. Aproveite a viagem com calma, querida, e leve o tempo que desejar. Quando vocês voltarem já devo ter encontrado alguma ocupação para o tio Henry e a tia Em, para que eles não se sintam mais inquietos e insatisfeitos.

Dorothy agradeceu sua boa amiga e beijou a adorável Governante, agradecida. Então foi correndo contar a alegre novidade para seu tio e tia.

Na manhã seguinte, depois do café da manhã, tudo estava pronto para a partida dos três.

A escolta incluía Omby Amby, o Capitão General do exército de Ozma, que era formado simplesmente por vinte e sete oficiais, além do Capitão General. Um dia Omby Amby fora um soldado raso – o único soldado raso do exército –, mas como nunca havia nenhuma batalha Ozma não via necessidade de ter um soldado raso, e por isso ela nomeou Omby Amby o oficial mais alto de todos eles. Ele era muito alto e magro e usava um uniforme vistoso e um bigode militar que lhe dava uma aparência feroz. Mas, o bigode era o único aspecto feroz em Omby Amby, cuja natureza era tão gentil quanto a de uma criança.

O maravilhoso Mágico pediu para juntar-se ao grupo, e com ele veio também seu amigo, o Homem-Farrapo, que era desarrumado mas não maltrapilho, pois usava roupas de seda de boa qualidade com caudas e fiapos de cetim. O Homem-Farrapo tinha bigodes e cabelos desarrumados, mas um temperamento doce e uma voz suave e agradável.

Havia uma grande carroça aberta, com três assentos para os passageiros, e a carroça era puxada pelo famoso Cavalete de madeira que fora trazido à vida por Ozma através de um pó mágico. O Cavalete usava cascos de ouro para que suas pernas de madeira não se desgastassem, e era forte e rápido. Como essa criatura era o corcel preferido de Ozma, e bastante popular na Cidade das Esmeraldas, Dorothy sabia que significava muito ela ter permissão de usar o Cavalete nesta jornada.

No assento da frente da carroça acomodaram-se Dorothy e o Mágico. Tio Henry e tia Em sentaram-se no assento seguinte e o Homem-Farrapo e Omby Amby acomodaram-se no terceiro assento. Totó, claro, acompanhava o grupo, aconchegado aos pés de Dorothy, e quando estavam prestes a partir, Billina chegou voando pelo caminho e implorou para fazer parte do grupo também. Dorothy concordou prontamente, e então a Galinha Amarela voou e empoleirou-se na carroça. Ela usava seu colar de pérolas e três braceletes em cada perna, em homenagem à ocasião.

Dorothy deu um beijo de despedida em Ozma, e todo o povo que estava em volta deles abanou seus lenços, e a banda que estava na varanda tocou uma marcha militar. O Mágico então estalou a língua para o Cavalete e disse: "upa, upa!" e o animal de madeira começou a andar levando junto com ele a grande carroça vermelha e seus passageiros, sem precisar fazer nenhum esforço. Um serviçal abriu o portão do palácio por onde deveriam passar; e então, com música e gritos atrás deles, a jornada começou.

— Isso até parece um circo — disse a tia Em, orgulhosa. — Não posso deixar de me sentir poderosa nessa situação.

De fato, enquanto passavam pela rua, todas as pessoas os festejavam vigorosamente e o Homem-Farrapo, o Mágico e o Capitão General tiraram seus chapéus e curvaram-se educadamente em agradecimento.

Quando chegaram ao grande muro da Cidade das Esmeraldas, os portões foram abertos pelo Guardião, que sempre os vigiava. Sobre o portão estava pendurado um ímã de metal de cor opaca em forma de ferradura, colocado contra um escudo de ouro polido.

— Aquilo — disse o Homem-Farrapo, de maneira imponente — é o maravilhoso Ímã do Amor. Fui eu quem o trouxe para a Cidade das Esmeraldas, e todos que passam por esse portão são pessoas adoráveis e amadas.

— Isso é ótimo — declarou a tia Em. — Se tivéssemos isso no Kansas acho que o homem que estava com a hipoteca da nossa fazenda não teria nos feito sair de lá.

— Então eu fico feliz por não termos isso no Kansas — respondeu o tio Henry. — Eu gosto mais de Oz do que do Kansas; e esse pequeno Cavalete de madeira é muito melhor do que qualquer criatura que já vi. Ele não precisa ser escovado, alimentado, não é necessário dar água para ele, e ele é forte como um touro. Ele sabe falar, Dorothy?

— Sim, tio — respondeu a menina. — Mas o Cavalete nunca fala muito. Ele me disse uma vez que não consegue falar e pensar ao mesmo tempo, e ele prefere pensar.

— Muito sensato — declarou o Mágico, balançando a cabeça em sinal de aprovação. — Por onde vamos, Dorothy?

— Reto, para o País dos Quadling — respondeu ela. — Tenho uma carta que preciso entregar para a Senhorita Cuttenclip.

— Ah! — exclamou o Mágico, bastante animado. — Nós vamos até lá? Que bom que vim com vocês, pois sempre quis conhecer as Cuttenclips.

— Quem são elas? — perguntou tia Em.

— Espere até chegarmos lá — respondeu Dorothy — e então a senhora mesma vai ver quem são. Eu nunca vi as Cuttenclips, sabe, por isso não consigo explicar exatamente como elas são.

Uma vez fora da Cidade das Esmeraldas, o Cavalete saiu em disparada em alta velocidade. Na verdade, ele saiu tão rápido que a tia Em teve dificuldade para respirar, e o tio Henry precisou se segurar no assento da carroça vermelha.

— Calma, calma, meu rapaz! — gritou o Mágico e o Cavalete diminuiu a velocidade.

— O que aconteceu? — perguntou o animal, virando um pouco sua cabeça de madeira para olhar para o grupo com um de seus olhos, que era um nó de madeira.

— Ora, queremos apreciar a paisagem, só isso — respondeu o Mágico.

— Alguns de seus passageiros — acrescentou o Homem-Farrapo — nunca saíram da Cidade das Esmeraldas e as terras são novas para eles.

— Se você for rápido demais vai acabar com a diversão — disse Dorothy. — Não temos pressa.

— Tudo bem, para mim, tanto faz — observou o Cavalete, e então começou a andar em um ritmo mais moderado.

O tio Henry estava admirado.

— Como um objeto de madeira pode ser tão inteligente? — perguntou ele.

— Ora, eu misturei um pouco de miolos na serragem na última vez em que coloquei orelhas novas nele — explicou o Mágico. — A serragem foi feita a partir de uns nós duros, e agora o Cavalete consegue desatar qualquer nó que apareça na frente dele, resolvendo todos os problemas sozinho.

— Dá para perceber — disse o tio Henry.

— Eu não percebo — observou a tia Em, mas ninguém prestou atenção ao que ela falou.

Em pouco tempo, eles chegaram a um edifício imponente que ficava em uma planície verde com belas árvores que ofereciam sombra agrupadas aqui e ali.

— O que é aquilo? — perguntou o tio Henry.

— Aquilo — respondeu o Mágico — é o Colégio Real de Atletismo de Oz, que é dirigido pelo Professor G. M. Besourão, T. I.

— Vamos parar e fazer uma visita — sugeriu Dorothy.

O Cavalete então parou na frente do grande edifício e o grupo foi recebido à porta pelo conhecido Besourão em pessoa. Ele parecia ter a mesma altura do Mágico, e estava vestido com um colete xadrez vermelho e branco e um casaco azul com cauda, além de calções amarelos até o joelho e meias de seda roxas sobre suas pernas esguias. Um chapéu alto estava colocado de maneira descontraída em sua cabeça e ele usava óculos em seus olhos brilhantes.

— Seja bem-vinda, Dorothy — disse o Besourão —, e sejam bem-vindos todos os seus amigos. Estamos muito felizes em receber vocês nesse grande Templo de Aprendizado.

— Achei que era um Colégio de Esportes — disse o Homem-Farrapo.

— E é, meu caro senhor — respondeu o Besourão, orgulhoso. — É aqui que ensinamos aos jovens de nossa grande terra o esporte científico, em toda a sua pureza.

— Vocês não ensinam mais nada para eles? — perguntou Dorothy. — Eles não têm aula de leitura, escrita e aritmética?

— Ah, sim, claro. Eles aprendem isso e muito mais — respondeu o Professor. — Mas tais assuntos ocupam pouco do tempo deles. Por favor, sigam-me e vou lhes mostrar o que meus alunos normalmente fazem. Eles estão em aula nesse horário e estão todos ocupados.

O grupo o seguiu até um grande campo nos fundos do edifício do colégio, onde várias centenas de jovens Ozianos estavam em aula. Em um canto jogavam futebol, no outro beisebol. Alguns jogavam tênis, outros golfe; alguns nadavam em uma grande piscina. Sobre um rio que serpenteava pelo terreno, várias tripulações em barcos de corrida remavam com grande entusiasmo. Outros grupos de alunos jogavam basquete e croqué, enquanto em um outro canto um ringue foi montado para que jovens com energia pudessem praticar boxe e outras lutas. Todos os alunos pareciam ocupados e havia bastante gargalhada e gritos.

— Esse colégio — disse o Professor Besourão, com satisfação — é um grande sucesso. Seu valor educacional é incontestável, e formamos muitos cidadãos importantes e valiosos a cada ano.

— Mas quando é que eles estudam? — perguntou Dorothy.

— Estudam? — disse o Besourão, parecendo perplexo ao ouvir a pergunta.

— Sim, quando é que eles aprendem aritmética, geografia, esse tipo de coisa?

— Ah, eles tomam doses dessas matérias todas as noites e todas as manhãs — foi a resposta.

— O que você quer dizer com doses? — perguntou Dorothy, com espanto.

— Ora, fazemos uso das Pílulas Escolares recém-inventadas, feitas pelo nosso amigo, o Mágico. Descobrimos que tais pílulas são bastante efetivas, e economizam um bom tempo. Por favor, venham por aqui e vou lhes mostrar nosso Laboratório de Aprendizagem.

Ele os levou até uma sala do edifício onde havia várias garrafas grandes, enfileiradas em prateleiras.

— Essas são Pílulas de Álgebra — disse o Professor, pegando uma das garrafas. — Uma pílula por noite, na hora de dormir, equivale a quatro horas de estudo. E essas são as Pílulas de Geografia – uma pílula à noite e uma pela manhã. Na outra garrafa estão as Pílulas de Latim – tomar uma pílula três vezes ao dia. E então temos as Pílulas de Gramática – tomar uma antes de cada refeição – e as Pílulas da Ortografia, que devem ser tomadas sempre que necessário.

— Seu alunos precisam tomar muitas pílulas — observou Dorothy, pensativa. — Como eles as tomam, com suco de maçã?

— Não, minha querida. Elas são revestidas de açúcar e são engolidas rapidamente e com facilidade. Acho que os alunos preferem tomar as pílulas a estudar, e certamente as pílulas são um método mais eficiente. Veja bem: até essas Pílulas Escolares serem inventadas, perdia-se muito tempo estudando e esse tempo agora é mais bem usado para a prática de esportes.

— Me parece que as pílulas são algo bom — disse Omby Amby, que se lembrou de como sua cabeça costumava doer quando era garoto e estudava aritmética.

— São sim, senhor — declarou o Besourão, com seriedade. — Elas nos dão uma vantagem sobre os outros colégios, pois sem perder tempo nossos meninos se tornam entendidos de Grego e Latim, Matemática e Geografia, Gramática e Literatura. Vejam, eles não são obrigados a interromper seus jogos para adquirir os ramos menores da aprendizagem.

— É uma grande invenção, com certeza — disse Dorothy, olhando admirada para o Mágico, que estava modestamente corado com tal elogio.

— Vivemos na era do progresso — exclamou o Professor Besourão, todo pomposo. — É mais fácil engolir conhecimento do que adquiri-lo através dos livros. Não é verdade, meus amigos?

— Alguns camaradas são capazes de engolir qualquer coisa — disse a tia Em. — Mas para mim isso é mais como tomar um remédio.

— Na escola os jovens sempre têm de tomar algum remédio, de um jeito ou de outro — observou o Mágico, com um sorriso. — E, como nosso Professor disse, essas Pílulas Escolares se mostraram ser um grande sucesso. Um dia, enquanto eu as estava produzindo, derrubei uma delas, e um dos pintinhos de Billina a engoliu. Alguns minutos depois o pintinho estava em cima de um poleiro recitando o poema *"The Boy Stood on the Burning Deck"* sem cometer um erro sequer. Depois recitou *"The Charge of the Light Brigade"* e depois *"Excelsior."* O pintinho engolira a Pílula da Elocução.

Depois disso o grupo despediu-se do Professor e, agradecendo por sua calorosa recepção, embarcou mais uma vez na carroça vermelha e continuou sua jornada.

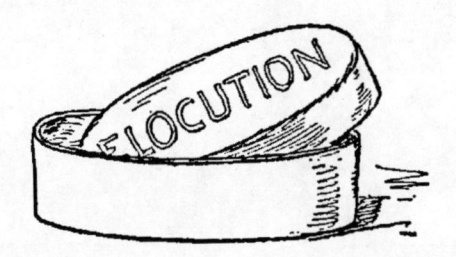

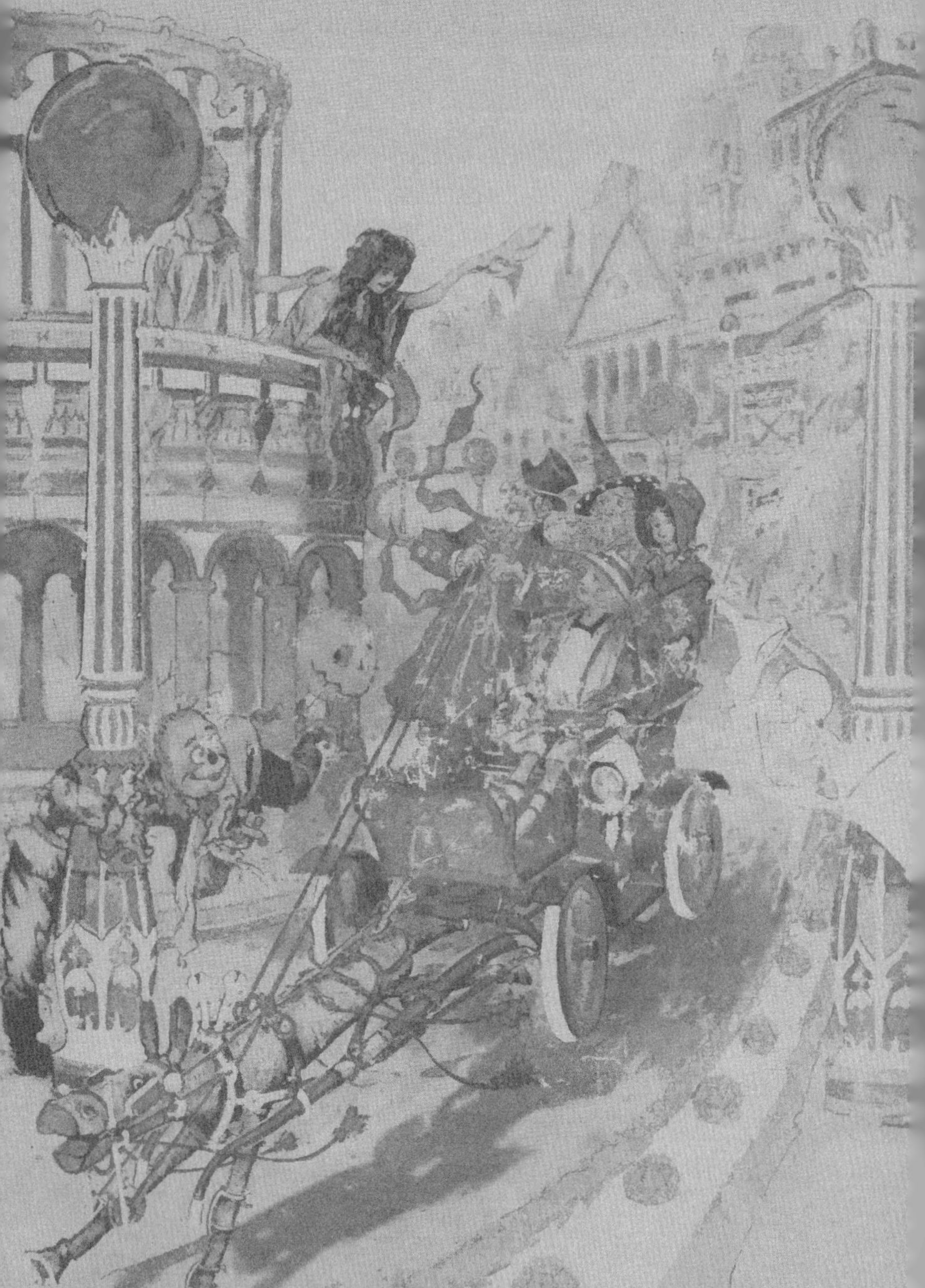

CAPÍTULO 10
QUANDO ELES VISITARAM AS CUTTENCLIPS

Os viajantes não levaram suprimentos, pois sabiam que seriam bem recebidos onde quer que fossem na Terra de Oz. Sabiam também que as pessoas os alimentariam e os acomodariam com genuína hospitalidade. Assim, por volta de meio-dia o grupo parou em uma casa de fazenda e recebeu um delicioso almoço composto de pão e leite, frutas e bolos de aveia com charope de bordo. Depois de descansarem um pouco e andarem pelo pomar com seu anfitrião – um fazendeiro roliço e agradável – eles subiram na carroça e, mais uma vez, foram conduzidos pelo Cavalete por uma estrada bonita e sinuosa.

Havia placas em todos os cantos da estrada e finalmente eles avistaram uma na qual se lia:

SIGA POR ESSA ESTRADA PARA IR ATÉ AS CUTTENCLIPS

Havia também uma mão apontando para a direita, por isso viraram o Cavalete para aquela direção e descobriram que era uma estrada muito boa, mas parecia que ninguém passava muito por ela.

— Nunca visitei as Cuttenclips antes — observou Dorothy.

— Nem eu — disse o Capitão General.

— Nem eu — disse o Mágico.

— Nem eu — disse Billina.

— Eu mal saí da Cidade das Esmeraldas desde que cheguei nesse país — acrescentou o Homem-Farrapo.

— Então nenhum de nós jamais esteve lá — exclamou a garotinha. — Fico imaginando como são as Cuttenclips.

— Vamos descobrir em breve — disse o Mágico com uma risada maliciosa. — Ouvi dizer que elas são criaturas bastante finas.

A quantidade de casas começou a diminuir enquanto avançavam, e o caminho às vezes era tão escondido em alguns momentos que o Cavalete tinha dificuldade para se manter na estrada. A carroça começou a trepidar também, e por isso precisaram ir mais devagar.

Depois de uma viagem um tanto difícil o grupo avistou um grande muro, pintado de azul com enfeites cor-de-rosa. Esse muro era circular, e parecia proteger um grande espaço. Ele era tão alto que apenas as copas das árvores podiam ser vistas acima dele.

O caminho levava até uma pequena porta, que estava fechada e trancada. Sobre a porta estava um aviso escrito em letras douradas onde se lia:

> **VISITANTES** devem **SE MOVER DEVAGAR** e **COM CUIDADO**, e devem evitar **TOSSIR** ou causar qualquer tipo de **BRISA** ou **CORRENTE DE AR**

— Que estranho — disse o Homem-Farrapo ao ler o aviso em voz alta. — *Quem* são as Cuttenclips, afinal?

— Ora, são bonecas de papel — respondeu Dorothy. — Você não sabia disso?

— Bonecas de papel! Então vamos para outro lugar — disse o tio Henry. — Somos todos velhos demais para brincar com bonecas, Dorothy.

— Mas essas bonecas são diferentes — declarou a garota. — Elas têm vida.

— Vida! — arfou tia Em, impressionada.

— Sim. Vamos entrar — disse Dorothy.

O grupo então desceu da carroça, pois a porta que havia no muro não era grande o suficiente para que entrassem com o Cavalete puxando a carroça.

— Você fica aqui, Totó! — ordenou Dorothy, balançando o dedo para o cachorrinho. — Você é tão descuidado que é capaz de causar uma corrente de ar se eu deixar você entrar.

Totó abanou seu rabo como se estivesse decepcionado por ser deixado ali, mas não fez nenhum esforço para segui-los. O Mágico destrancou a porta, que se abriu para fora, e todos olharam seriamente para dentro dela.

Bem em frente à entrada havia uma fileira de minúsculos soldados usando uniformes coloridos e armas de papel sobre os ombros. Eles eram todos iguais, do começo ao fim da fila, e eram todos feitos de papel e estavam unidos pela parte central de seu corpo.

Quando os visitantes entraram, o Mágico deixou que a porta batesse e se fechasse novamente, e no mesmo instante a fila de soldados tombou e caiu de costas, esvoaçando no chão.

— Ei! — gritou um deles. — Como é que você se atreve a deixar a porta bater e nos derrubar com o vento?

— Peço desculpas — disse o Mágico, arrependido. — Eu não sabia que vocês eram tão delicados.

— Não somos delicados! — respondeu um outro soldado, levantando a cabeça do chão. — Somos fortes e saudáveis, mas não conseguimos suportar as correntes de ar.

— Posso ajudar vocês? — perguntou Dorothy.

— Por favor — respondeu o soldado da ponta. — Mas faça isso com delicadeza, garotinha.

Dorothy levantou com cuidado a fila de soldados, que primeiro limparam suas roupas e então saudaram os visitantes com seus mosquetes de papel. Do final da fila era fácil ver que todos eram feitos de papel, embora pela frente os soldados parecessem bastante sólidos e imponentes.

— Tenho uma carta de apresentação enviada pela Princesa Ozma para a Senhorita Cuttenclip — anunciou Dorothy.

— Muito bem — disse o soldado da ponta, que assoprou um apito de papel que estava pendurado em volta de seu pescoço. No mesmo instante um soldado de papel usando um uniforme de capitão saiu da casa de papel que havia ali perto e aproximou-se do grupo que estava na entrada. Ele não era muito grande, e andou com bastante rigidez e com pouca firmeza sobre suas pernas de papel, mas tinha uma feição agradável, com bochechas vermelhas e olhos bem azuis, e curvou-se tanto para os forasteiros que Dorothy começou a rir, e o vento que saiu de sua boca quase assoprou o Capitão para longe. Ele titubeou e se esforçou, conseguindo por fim se manter em pé.

— Cuidado, senhorita! — disse ele, advertindo-a. — Você está quebrando as regras ao gargalhar.

— Ah, eu não sabia disso — respondeu ela.

— Gargalhar nesse lugar é quase tão perigoso quanto tossir — disse o Capitão. — Vocês terão de respirar bem discretamente, ouçam o que eu digo.

— Vamos tentar fazer isso — prometeu a garota. — Podemos ver a Senhorita Cuttenclip, por favor?

— Vocês podem, sim — respondeu o Capitão prontamente. — Hoje é um dos dias em que ela recebe as pessoas. Por favor, sigam-me.

Ele se virou e conduziu o grupo através de um caminho e, enquanto seguiam devagar por ali, porque o Capitão de papel não conseguia andar rapidamente, aproveitaram a oportunidade para olhar em volta e apreciar esse estranho país de papel.

Ao longo do caminho, na lateral, havia árvores de papel, todas cortadas com cuidado e pintadas de cor verde brilhante. E atrás das árvores havia fileiras de casas de papelão, pintadas de várias cores, mas a maioria em tons de verde. Algumas eram grandes e outras pequenas, e nos jardins da frente havia canteiros de flores de papel que pareciam bastante naturais. Sobre algumas das varandas vinhas de papel foram entrelaçadas, proporcionando uma boa sombra e um ar de aconchego.

Enquanto os visitantes passavam pela rua várias bonecas de papel vinham até as portas e janelas de suas casas para dar uma olhada neles, com curiosidade. Essas bonecas tinham praticamente a mesma altura, mas eram cortadas em formatos diferentes, algumas eram gordas e outras esguias. As bonecas de papel usavam bonitos trajes feitos de lenços de papel, o que as deixava bastante fofas, mas suas cabeças e mãos não eram mais grossas do que o papel do qual eram feitas.

Algumas das pessoas de papel estavam na rua, andando ou conversando em grupos, mas logo que viram os forasteiros todos correram para dentro de suas casas o mais rápido que conseguiam, para se proteger do perigo.

— Me desculpem por estar andando de lado — observou o Capitão enquanto se aproximavam de uma pequena colina. — Se ando assim posso ir mais rápido, e consigo não voar muito.

— Tudo bem — disse Dorothy. — Nós não nos importamos com isso, posso lhe garantir.

Em um lado da rua havia uma bomba de papel, e um garoto de papel estava bombeando água de papel em um balde de papel. A Galinha Amarela acabou encostando no garoto com sua asa, e ele voou no ar e caiu em uma árvore de papel, onde ficou preso até o Mágico delicadamente o puxar dali. Ao mesmo tempo, o balde saiu voando no ar, derrubando água de papel, enquanto a bomba de papel dobrou quase duas vezes.

— Meu Deus! — disse a Galinha. — Se eu bater minhas asas acho que derrubo a vila inteira.

— Então não bata suas asas, por favor, não faça isso! — suplicou o Capitão. — A Senhorita Cuttenclip ficaria bastante chateada se sua vila fosse destruída.

— Ah, vou tomar cuidado — prometeu Billina.

— Achei que todas essas meninas e mulheres de papel fossem chamadas de Senhorita Cuttenclip, estou enganado? — perguntou Omby Amby.

— Está sim — respondeu o Capitão, que agora andava melhor desde que começara a se locomover na lateral. — Existe apenas uma Senhorita Cuttenclip, que é a nossa rainha, pois ela criou todos nós. Essas garotas são Cuttenclips, pode ter certeza disso, mas receberam nomes como Polly, Sue, Betty e outros do tipo. Apenas a rainha é chamada de Senhorita Cuttenclip.

— Devo dizer que esse lugar ganha de tudo o que já ouvi — observou tia Em. — Estou acostumada a brincar com bonecas de papel e a recortá-las, mas nunca pensei que veria tais bonequinhas ganhando vida.

— Acho que isso é tão curioso quanto ouvir galinhas falarem — respondeu o tio Henry.

— Você vai ver muitas coisas esquisitas na Terra de Oz, senhor — disse o Mágico. — Mas um país encantado é extremamente interessante quando você se acostuma a ser surpreendido.

— Aqui estamos! — exclamou o Capitão, parando em frente a uma pequena casa.

Essa casa era feita de madeira e tinha um estilo incrivelmente bonito. Na Cidade das Esmeraldas aquela seria considerada uma habitação minúscula, na verdade, mas no meio daquela vila de papel ela parecia enorme. Havia flores reais no jardim e árvores reais cresciam na lateral da casa. Sobre a porta da frente havia uma placa onde lia-se:

SENHORITA CUTTENCLIP

Assim que chegaram à varanda, a porta da frente se abriu e uma garotinha apareceu à frente deles. Ela parecia ter a mesma idade de Dorothy e, sorrindo para os visitantes, ela disse, com doçura:

— Sejam bem-vindos.

Todo o grupo pareceu se sentir aliviado ao descobrir que ela era uma garota de verdade, de carne e osso. Ela parecia bastante delicada e bonita parada ali, dando as boas-vindas ao grupo. Seu cabelo era loiro e seus olhos azul-celestes. Tinha as bochechas rosadas e adoráveis dentes brancos. Sobre seu vestido branco simples havia um avental com bolinhas rosa e brancas, e ela segurava um par de tesouras em uma de suas mãos.

— Podemos falar com a Senhorita Cuttenclip, por favor? — perguntou Dorothy.

— Eu sou a Senhorita Cuttenclip — foi a resposta. — Vocês não querem entrar?

Ela segurou a porta aberta enquanto o grupo entrou em uma linda sala de estar que estava repleta de todos os tipos de papel – alguns eram duros, outros finos, e alguns eram lenços. As folhas e os pedaços de papel eram de todas as cores. Sobre a mesa havia tintas e pincéis, além de vários pares de tesouras, de diferentes tamanhos.

— Sentem-se, por favor — disse a Senhorita Cuttenclip, tirando os pedaços de papel de algumas cadeiras. — Faz tanto tempo que não recebo visitas que não estou muito preparada para isso. Mas tenho certeza de que vocês vão me perdoar por minha sala estar bagunçada, pois este é o meu local de trabalho.

— Você faz todas as bonecas de papel? — perguntou Dorothy.

— Sim, eu as corto com minha tesoura, e pinto seus rostos e alguns de seus trajes. É um trabalho bastante agradável e me sinto feliz em ver minha vila de papel crescer.

— Mas como é que as bonecas de papel ganham vida? — perguntou tia Em.

— As primeiras bonecas que eu fiz não tinham vida — disse a Senhorita Cuttenclip. — Eu vivia perto do castelo de uma grande feiticeira chamada Glinda, a Boa, e ela viu minhas bonecas e disse que elas eram muito bonitas. Comentei com ela que eu achava que eu gostaria mais delas se elas tivessem vida e no dia seguinte a Feiticeira me trouxe uma boa quantidade de papel mágico. "Esse é o papel da vida", disse ela, "e todas as bonecas que você recortar vão ter vida, e serão capazes de pensar e de falar. Quando você usar todos esses papéis venha me ver para buscar mais."

— Claro que fiquei encantada com o presente — continuou a Senhorita Cuttenclip — e rapidamente comecei a trabalhar e fiz várias bonecas de papel que, logo que foram recortadas, começaram a andar e a falar comigo. Mas elas eram tão finas que percebi que qualquer brisa as assopraria e as espalharia para todos os cantos; então Glinda encontrou esse adorável lugar para mim, onde poucas pessoas já vieram. Ela construiu o muro para evitar que o vento assopre meu povo, e me disse que eu poderia construir uma vila de papel aqui e me tornar a rainha do lugar. Foi por isso que vim para cá e me estabeleci aqui para trabalhar e criar a vila que vocês estão vendo. Construí as primeiras casas muitos anos atrás, e me mantive bastante ocupada e fiz minha vila crescer bem; não preciso lhes dizer que sou muito feliz com o meu trabalho.

— Muitos anos atrás! — exclamou tia Em. — Ora, quantos anos você tem, criança?

— Não fico contando os anos — disse a Senhorita Cuttenclip, rindo. — Como você vê, eu não cresço, tenho essa aparência desde que cheguei aqui. Talvez eu seja mais velha do que a senhora, madame, mas não posso afirmar com certeza.

Eles ficaram olhando admirados para a garotinha, e o Mágico perguntou:

— O que acontece com a sua vila de papel quando chove?

— Aqui não chove — respondeu a Senhorita Cuttenclip. — Glinda mantém todas as tempestades longe daqui; então nunca preciso me preocupar com o fato de minhas bonecas se molharem. Mas agora, se vocês vierem comigo, ficarei feliz em mostrar a vocês o meu reino de papel. Vocês, claro, precisam andar devagar e com cuidado, e evitar provocar qualquer brisa.

Eles saíram da casa e seguiram sua guia por várias ruas da vila. Era realmente um local impressionante se imaginarmos que tudo aquilo fora construído com tesoura, e os visitantes estavam não apenas muito interessados, mas também muito admirados com a habilidade da pequena Senhorita Cuttenclip.

Em um lugar, um grupo grande de bonecas de papel especialmente gentis juntou-se para cumprimentar sua rainha e era fácil perceber como elas a adoravam. Tais bonecas marchavam e dançavam perante os visitantes e todas acenaram seus lenços de papel e cantaram em um coro doce uma música chamada "A Bandeira de Nossa Terra Nativa."

No final da música elas hastearam uma bonita bandeira de papel em um mastro alto, e todas as pessoas da vila se juntaram em volta do mastro para clamar o mais alto que conseguiam – embora, claro, suas vozes não fossem muito altas.

A Senhorita Cuttenclip estava prestes a fazer um discurso para seus súditos em resposta a essa música patriótica quando o Homem-Farrapo acabou espirrando.

Ele costumava espirrar bastante alto e forte, e tentou segurar seu espirro, mas de repente ele explodiu e as consequências foram terríveis.

As bonecas de papel foram atingidas em cheio e saíram voando na maior confusão, por todas as direções, tombando de um lado para o outro e ficando mais ou menos amassadas e dobradas.

Uma onda de terror e tristeza tomou conta da multidão esparramada e a Senhorita Cuttenclip exclamou:

— Meu Deus! Meu Deus! — e apressou-se a resgatar seu povo atingido.

— Ah, Homem-Farrapo! Como você foi fazer isso? — perguntou Dorothy, com ar reprovador.

— Não pude evitar... de verdade, não consegui — protestou o Homem-Farrapo, parecendo bastante envergonhado. — E não tinha ideia de que precisava de tão pouco para destruir essas bonecas de papel.

— Tão pouco! — disse Dorothy. — Ora, seu espirro foi quase tão forte quanto um ciclone do Kansas.

Ela então ajudou a Senhorita Cuttenclip a resgatar os camaradas de papel e a colocá-los novamente em pé. Duas das casas de papelão também tombaram e a pequena rainha disse que teria de consertá-las e colá-las de volta antes que alguém pudesse morar nelas novamente.

E agora, com medo de que pudessem causar mais danos a essas pessoas de papel, o grupo decidiu partir. Mas antes agradeceram a Senhorita Cuttenclip calorosamente por sua cortesia e gentileza com eles.

— Qualquer amigo da Princesa Ozma é sempre bem-vindo aqui; a não ser que ele espirre — disse a rainha, com um olhar bastante severo para o Homem-Farrapo, que abaixou a cabeça. — Gosto de ter visitantes apreciando minha maravilhosa vila, e espero que vocês voltem.

A própria Senhorita Cuttenclip os levou até a porta que existia no muro, e quando eles caminharam pela rua as bonecas de papel olharam para eles, meio receosas, das portas e janelas. Talvez elas nunca mais se esqueçam do terrível espirro do Homem-Farrapo, e tenho certeza de que estavam todas felizes em ver as pessoas de carne e osso indo embora.

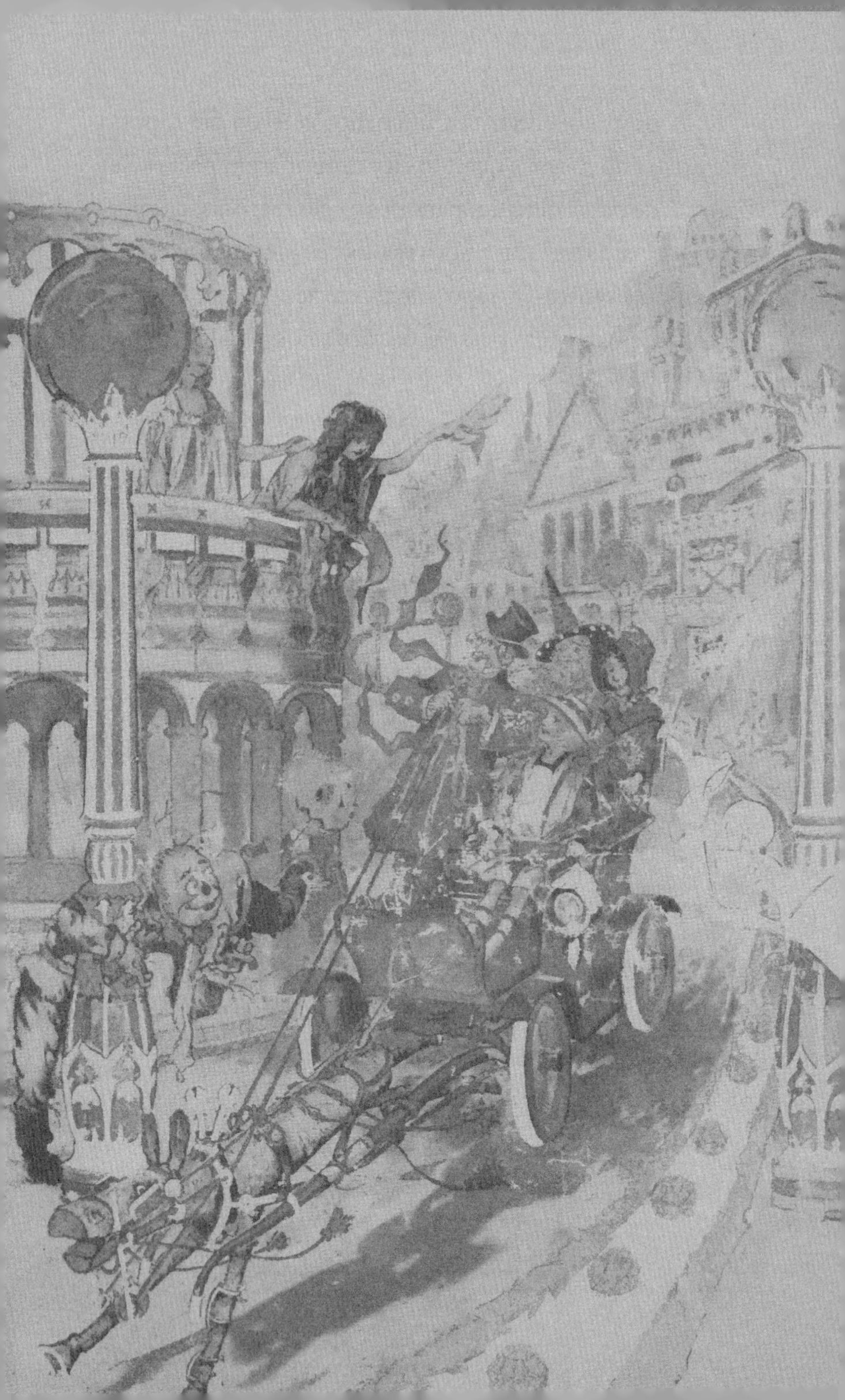

CAPÍTULO 11
QUANDO O GENERAL CONHECEU O PRIMEIRO E O MAIS IMPORTANTE

Ao deixar os Growleywogs, o General Guph precisou atravessar novamente a Terra Ondulada, e ele não achava que aquilo era algo agradável de se fazer. Talvez o fato de ter seus bigodes puxados fio a fio e de ter servido de almofada de alfinetes para a diversão de um carcereiro inocente e de boa índole não tenha ajudado a melhorar o humor de Guph, pois o velho Nomo se enfureceu com a lembrança de todas as injustiças que sofrera, e jurou se vingar dos Growleywogs depois que os tivesse usado para seus propósitos e Oz tivesse sido conquistada. Caminhou de maneira furiosa até ter atravessado metade da Terra Ondulada. E então ele ficou enjoado e durante o restante do caminho esse Nomo maldoso ficou quase tão miserável quanto merecia ficar.

Mas ao alcançar a planície novamente e chegar em terra firme ele começou a se sentir melhor e em vez de voltar para casa ele virou-se diretamente na direção do oeste. Um esquilo, empoleirado em uma árvore, viu quando ele pegou esse caminho e avisou:

— Cuidado!

Mas ele não prestou atenção. Uma águia parou seu voo no ar para olhar para ele e dizer:

— Cuidado!

Mas ele continuou.

Ninguém pode dizer que o Guph não era corajoso, pois estava determinado a visitar aquelas criaturas terríveis chamadas Fanfasmos, que moravam no topo da terrível Montanha do Fantástico. Os Fanfasmos eram Erbs, e eram temidos tanto pelos mortais quanto pelos imortais a ponto de ninguém se aproximar da montanha onde moravam por vários milhares de anos. Ainda assim, o General Guph esperava convencê-los a se juntar a seu grupo na batalha contra o bom e feliz povo de Oz.

Guph sabia muito bem que os Fanfasmos seriam quase tão perigosos para os Nomos quanto seriam para os Ozianos, mas ele se achava tão esperto que acreditava que conseguiria controlar tais criaturas estranhas e fazer com que elas o obedecessem. E não havia nenhuma dúvida de que, se ele conseguisse recrutar os serviços dos Fanfasmos, seus tremendos poderes, unidos à força dos Growleywogs e à astúcia dos Whimsies, levariam a Terra de Oz à total destruição.

Assim o velho Nomo escalou as montanhas e andou com dificuldade pelos caminhos selvagens da montanha até chegar a um escoadouro que cercava a Montanha do Fantástico e marcava o limite dos domínios dos Fanfasmos. Esse escoadouro ficava a cerca de um terço do caminho que levava até a montanha, e estava cheio até a borda com lava incandescente, na qual nadavam serpentes e salamandras venenosas. O calor dessa massa e o cheiro de seu veneno eram tão insuportáveis que até mesmo os pássaros hesitavam em voar sobre o escoadouro, em vez disso, voavam em volta dele. Todos os seres vivos mantinham distância daquela montanha.

Mas Guph ouvira, durante sua longa trajetória de vida, muitas histórias sobre os assustadores Fanfasmos; por isso ele já tinha ouvido falar sobre essa barreira de lava derretida, e também já ouvira dizer que existia uma ponte estreita que atravessava a lava em algum lugar por ali. Ele andou pela beirada do escoadouro até encontrar a ponte. Era um único arco de pedra cinza e, deitado na ponte, havia um jacaré escarlate, que parecia dormir profundamente.

Quando Guph cambaleou sobre as rochas ao se aproximar da ponte a criatura abriu os olhos, de onde chamas finas saíram para todas as direções, e depois de olhar para o intruso de maneira bastante malvada o jacaré escarlate fechou as pálpebras novamente e continuou parado.

Guph percebeu que não havia espaço para ele passar pelo jacaré na ponte estreita, por isso gritou para ele:

— Bom dia, amigo. Não quero incomodar você, mas, por favor, diga-me, você está descendo ou subindo?

— Nem um nem outro — respondeu o jacaré, estalando suas mandíbulas cruéis.

O General insistiu.

— E você vai ficar aí por muito tempo? — perguntou ele.

— Por algumas centenas de anos, mais ou menos — disse o jacaré.

Guph esfregou a ponta de seu nariz com calma e tentou pensar no que fazer.

— Você sabe se o Primeiro e Mais Importante Fanfasmo do Fanstástico está em casa? — perguntou ele.

— Acho que sim, pois ele nunca sai de casa — respondeu o jacaré.

— Ah. Quem é aquele descendo a montanha? — perguntou o Nomo, olhando para cima.

O jacaré virou-se para olhar para trás e rapidamente o Guph correu até a ponte e pulou sobre as costas do sentinela antes que ele se virasse de novo. O monstro escarlate tentou morder o pé esquerdo do Nomo, mas faltou um centímetro para ele conseguir.

— Ah-há! — riu o General, que agora estava no caminho da montanha. — Dessa vez eu fiz você de bobo.

— É verdade, e talvez você também esteja bancando o bobo — respondeu o jacaré. — Suba a montanha, se tiver coragem, e descubra o que o Primeiro e Mais Importante fará com você!

— Farei isso — declarou o Guph, com ousadia.

Em um primeiro momento o cenário era bastante selvagem, mas aos poucos foi ficando mais e mais feio. Todas as rochas tinham a forma de seres assustadores e até mesmo os troncos das árvores eram retorcidos e se enrolavam como se fossem serpentes.

De repente apareceu perante o Nomo um homem com cabeça de coruja. Seu corpo era peludo, parecido com o corpo de um macaco, e a única roupa que vestia era um cachecol vermelho enrolado em volta de sua cintura. Ele segurava um enorme porrete em sua mão e seus olhos de coruja redondos piscavam ferozmente para o intruso.

— O que você está fazendo aqui? — perguntou ele, ameaçando o Guph com seu porrete.

— Vim falar com o Primeiro e Mais Importante Fanfasmo do Fantástico — respondeu o General, que não gostava da maneira como a criatura olhava para ele, mas ainda assim não sentia medo.

— Ah, você realmente vai falar com ele! — disse o homem, com uma risada sarcástica. — O Primeiro e Mais Importante vai decidir a melhor maneira de punir você.

— Ele não vai me punir — respondeu o Guph, com calma. — Vim aqui pedir a ele e a seu povo um raro favor. Me ajude, camarada, e me leve até seu mestre.

O homem-coruja levantou seu porrete de maneira ameaçadora.

— Se você tentar fugir — disse ele — saiba que... Mas o General o interrompeu.

— Não precisa me ameaçar — disse ele. — E não seja impertinente, ou quem vai ser punido será você. Me mostre o caminho e fique em silêncio.

Esse Guph era realmente um malandro esperto, e é uma pena ele ser tão mau, pois teria conseguido bastante coisa se agisse por uma boa causa. Ele percebeu que estava em uma situação perigosa ao ir até aquela montanha assustadora, mas sabia que se deixasse seu medo à mostra, estaria perdido. Então assumiu uma postura ousada para se defender. A sabedoria de seu plano logo ficou evidente, pois o Fanfasmo com cabeça de coruja virou-se e o levou montanha acima.

Bem no topo havia uma planície, sobre a qual havia pilhas de rochas que, à primeira vista, pareciam ser sólidas. Mas ao olhar mais de perto o Guph percebeu que tais pilhas de rochas eram habitações, pois cada uma delas tinha uma abertura.

Nenhuma pessoa podia ser vista do lado de fora das cabanas de pedras. Tudo estava em silêncio.

O homem-coruja guiou o Guph entre os grupos de habitações até chegar a uma que ficava no centro. Parecia não haver nenhuma casa melhor ou pior do que as outras. Do lado de fora, na entrada dessa pilha de rochas, o guia soltou um gemido que parecia algo como "Lee-ow-ah!"

De repente apareceu na abertura da porta um outro homem peludo. Este tinha cabeça de urso. Em sua mão segurava um arco de metal. Ele olhou para o forasteiro com evidente surpresa.

— Ora, você capturou esse andarilho tolo e o trouxe até aqui? — perguntou ele, falando com o homem-coruja.

— Eu não o capturei — foi a resposta. — Ele passou pelo jacaré escarlate e veio até aqui por sua própria vontade.

O Primeiro e Mais Importante olhou para o General.

— Você cansou de viver, então? — perguntou ele.

— Na verdade, não — respondeu o Guph. — Sou um Nomo, e o General Chefe do grande exército dos Nomos do Rei Roquat, o Vermelho. Venho de uma raça de longa vida, e posso dizer que espero viver bastante tempo ainda. Sentem-se, Fanfasmos – se é que existem cadeiras nesse covil selvagem – e ouçam o que eu tenho a dizer.

Com todo o seu conhecimento e coragem o General Guph não sabia que o olhar firme que saía dos olhos do urso estava lendo seus pensamentos mais íntimos com a mesma clareza como se ele os colocasse em palavras. Ele não sabia que essas desprezíveis pilhas de rochas dos Fanfasmos eram meras enganações para seus próprios olhos, nem podia imaginar que estava no meio de uma das cidades mais esplêndidas e luxuosas jamais construídas por poderes mágicos. Ele só conseguia enxergar um desperdício de rochas, um homem peludo com cabeça de coruja e um outro com cabeça de urso. Isso era tudo o que a feitiçaria dos Fanfasmos permitia que ele ver.

De repente o Primeiro e Mais Importante jogou seu aro de metal e capturou Guph pelo pescoço. No instante seguinte, antes que o General conseguisse entender o que acontecera com ele, foi arrastado para dentro da cabana de rochas. Ali, com seus olhos ainda piscando para entender o que se passava, ele percebeu apenas uma luz fraca, e através dela viu que a cabana parecia tão rústica e rudimentar por dentro quanto era por fora. Ainda assim, ele tinha a estranha sensação de que muitos olhos brilhantes se fixavam nele e que ele estava parado em um amplo e comprido corredor.

O Primeiro e Mais Importante agora ria sombriamente e soltou seu prisioneiro.

— Se você tiver algo interessante a dizer — observou ele — fale agora, antes que eu te estrangule.

Então o Guph falou. Tentou não prestar atenção aos sussurros que ouvia, como se uma multidão que não conseguia enxergar estivesse perto dali para ouvir o que ele falava. Seus olhos só conseguiam enxergar o homem-urso feroz, e foi para ele que o Guph falou. Primeiro contou sobre seu plano de conquistar a Terra de Oz, saquear as riquezas do país e escravizar seu povo que, por serem encantados, não poderiam ser mortos. Depois de falar isso, e de contar sobre o túnel que o Rei Nomo estava construindo, disse que fora até lá para pedir que o Primeiro e Mais Importante se juntasse aos Nomos com seu bando de guerreiros terríveis, para ajudá-los a derrotar o povo de Oz.

O General falou com bastante seriedade e de maneira impressionante, mas quando terminou o homem-urso caiu na gargalhada como se estivesse se divertindo muito, e sua risada parecia ser ecoada por um coro de alegria de uma multidão que não podia ser vista. Então, pela primeira vez, Guph começou a se sentir um pouco preocupado.

— Quem mais se comprometeu a ajudar vocês? — perguntou finalmente o Primeiro e Mais Importante.

— Os Whimsies — respondeu o General.

De novo o Fanfasmo com cabeça de urso gargalhou.

— Mais alguém? — perguntou ele.

— Apenas os Growleywogs — disse o Guph.

Essa resposta fez o Primeiro e Mais Importante gargalhar de novo.

— E o que eu vou ganhar com isso? — foi a próxima pergunta.

— O que você quiser, menos o Cinto Mágico do Rei Roquat — respondeu Guph.

Ao ouvir isso, o Fanfasmo soltou uma risada estrondosa, que teve seu eco no coro invisível, e o homem com cabeça de urso parecia estar se divertindo tanto que ele acabou rolando no chão e gritando de alegria.

— Ah, esses Nomos tolos e cegos! — disse ele. — Eles se acham muito grandes e na verdade são muito pequenos!

De repente ele levantou e segurou o pescoço do Guph com uma de suas garras peludas, arrastando-o para fora da cabana.

Ali ele soltou um curioso gemido lamentoso e, como se em resposta, uma horda de Fanfasmos saiu de todas as cabanas rochosas que ficavam no topo da montanha, com seus corpos peludos, mas usando cabeças de diferentes mamíferos, pássaros ou répteis. Todos lançavam olhares ferozes e repulsivos para o Nomo, e Guph não conseguia esconder um tremor de desgosto ao olhar para eles.

O Primeiro e Mais Importante devagar levantou seus braços, e em um piscar de olhos sua pele peluda caiu de seu corpo e ele apareceu para o assustado Nomo como uma bela mulher, usando um vestido esvoaçante de gaze rosa. Flores estavam enroladas em seu cabelo escuro, e seu rosto era nobre e calmo.

No mesmo instante todo o bando de Fanfasmos foi transformado em uma matilha de lobos uivantes, correndo aqui e ali enquanto rosnavam e mostravam suas horríveis presas amarelas.

A mulher agora levantou os braços, assim como o homem-urso tinha feito, e em um piscar de olhos os lobos viraram lagartos rastejantes, enquanto ela mesmo se transformava em uma imensa borboleta.

Guph só teve tempo de soltar um grito de medo e dar um passo para trás para desviar dos lagartos quando uma outra transformação aconteceu, e todos voltaram instantaneamente para as formas que tinham a princípio.

O Primeiro e Mais Importante então, que voltara a ter seu corpo peludo e cabeça de urso, virou-se para o Nomo e perguntou:

— Você ainda quer a nossa ajuda?

— Mais do que nunca — respondeu o General, com firmeza.

— Então me diga: o que você pode oferecer aos Fanfasmos que eles ainda não têm? — perguntou o Primeiro e Mais Importante.

Guph hesitou. Ele realmente não sabia o que dizer. O tão famoso Cinto Mágico do Rei Nomo parecia ser nada comparado aos impressionantes poderes mágicos daquele povo. Ouro, joias e escravos eles podiam conquistar com tranquilidade sem nenhum esforço. Ele sentiu que estava lidando com poderes muito maiores do que ele. Havia, porém, apenas um argumento que poderia influenciar os Fanfasmos, que eram criaturas do mal.

— Permita-me chamar sua atenção para a encantadora alegria de transformar a felicidade em infelicidade — disse ele, por fim. — Pense no prazer de destruir pessoas inocentes e inofensivas.

— Ah! Você me deu a resposta — gritou o Primeiro e Mais Importante. — Por essa razão ajudaremos vocês. Vá para casa e diga a seu rei de pernas tortas que assim que seu túnel estiver pronto os Fanfasmos estarão com ele e guiarão sua legião para conquistar Oz. O deserto mortal foi o único motivo para não destruirmos Oz tempos atrás, e o túnel subterrâneo é uma ideia bastante inteligente. Volte para casa, e, prepare-se para nossa chegada!

Guph estava muito feliz por poder voltar levando essa promessa consigo. O homem-coruja levou-o de volta pelo caminho na montanha e ordenou que o jacaré escarlate saísse do caminho e permitisse que o Nomo atravessasse a ponte em segurança.

Depois que o visitante foi embora, uma cidade linda e fabulosa apareceu no topo da montanha, claramente visível aos olhos da multidão de Fanfasmos alegremente vestidos que moravam lá. E o Primeiro e Mais Importante, lindamente adornado, dirigiu-se aos outros com estas palavras:

— Já é hora de irmos até o mundo e levarmos tristeza e consternação para as pessoas. Já ficamos tempo demais no topo desta montanha, pois enquanto estamos reclusos aqui, muitas nações cresceram alegres e prósperas, e a missão principal da raça dos Fanfasmos é destruir a felicidade. Por isso acho que foi sorte nossa esse Nomo ter vindo até nós neste momento, para nos lembrar que é chegada a hora de causarmos confusão. Usaremos o túnel do Rei Roquat para conquistar a Terra de Oz. Depois destruiremos os Whimsies, os Growleywogs e os Nomos, e então sairemos para devastar, irritar e enfraquecer o mundo todo.

A multidão de Fanfasmos maldosos aplaudiu esse plano, que foi totalmente aprovado por eles.

Disseram-me que os Erbs são os mais poderosos e impiedosos dos espíritos malignos, e os Fanfasmos do Fantástico pertencem à raça dos Erbs.

CAPÍTULO 12
QUANDO ELES JUNTARAM AS PEÇAS DOS FUDDLES

Dorothy e seus companheiros viajantes saíram da vila das Cuttenclips e seguiram pelo caminho indistinto até chegarem à placa. Ali pegaram a estrada principal novamente e continuaram sua jornada de maneira agradável por um lugar com lindas fazendas. Quando a noite chegou pararam em uma casa e foram alegremente recebidos. Ali encontraram bastante comida e camas confortáveis para passar a noite.

Bem cedo na manhã seguinte, porém, já estavam em pé e prontos para seguir viagem e, depois de tomar um bom café da manhã, despediram-se de seus anfitriões e subiram na carroça vermelha, à qual o Cavalete passara a noite preso. Como ele era feito de madeira, nunca se cansava nem fazia questão de se deitar. Dorothy não sabia ao certo se ele dormia ou não, mas todos sabiam que ele nunca fechava os olhos quando havia alguém por perto.

O clima é sempre bom em Oz, e nesta manhã o ar estava fresco e refrescante e o sol estava brilhante e agradável.

Em cerca de uma hora eles chegaram a um lugar onde uma outra estrada se ramificava. Havia uma placa onde se lia:

> **FUDDLECUMJIG POR AQUI**

— Ah, é por aqui que vamos seguir — disse Dorothy, observando o sinal.

— O quê? Nós vamos para Fuddlecumjig? — perguntou o Capitão General.

— Sim. Ozma achou que gostaríamos dos Fuddles. Dizem que eles são muito interessantes — respondeu ela.

— Ninguém diria isso se considerasse só seus nomes — disse a tia Em. — Quem são eles, afinal? Mais objetos de papel?

— Acho que não — respondeu Dorothy, rindo. — Mas não sei dizer exatamente como eles são, tia Em. Descobriremos quando chegarmos lá.

— Talvez o Mágico saiba — especulou o tio Henry.

— Não; nunca estive lá — disse o Mágico. — Mas sempre ouvi falar sobre Fuddlecumjig e os Fuddles, que parecem ser o povo mais peculiar da Terra de Oz.

— Peculiar em que sentido? — perguntou o Homem-Farrapo.

— Eu não sei — disse o Mágico.

Neste momento, enquanto andavam por um lindo gramado verde em direção a Fuddlecumjig, viram um canguru sentado na beirada da estrada. O pobre animal estava com o rosto coberto por suas duas patas da frente e chorava com tanta tristeza que as lágrimas caíam de seu rosto parecendo duas correntes de água e atingiam o chão, onde formavam uma poça em um pequeno buraco que existia ali.

O Cavalete parou de repente ao ver essa cena triste, e Dorothy exclamou, com sua costumeira simpatia:

— O que aconteceu, canguru?

— Buá, buá! Buá, buá! — choramingou o canguru. — Perdi minhas lu-lu-lu, ah, buá, buá! Buá, buá!

— Pobrezinho — disse o Mágico —, ele perdeu sua luz. Provavelmente sua esposa, e ela deve ter morrido.

— Não, não, não! — soluçou o canguru. — Não é isso. Perdi minhas lu-lu... ah, buá, buá, buá!

— Já sei — disse o Homem-Farrapo. — Ele perdeu sua lupa.

— Não, são as minhas lu-lu-lu... buá, buá! Minhas lu... buá, buá!

E o canguru chorou ainda mais.

— Deve ser sua luneta — sugeriu a tia Em.

— Ou perdeu o lugar — propôs o tio Henry.

— Perdi minhas lu-lu-luvas! — disse o canguru, finalmente conseguindo se expressar.

— Ah! — exclamou a Galinha Amarela, sentindo-se aliviada. — Por que você não disse isso antes?

— Buá, buá! Eu... eu... não consegui — respondeu o canguru.

— Mas, veja só — disse Dorothy —, você não precisa de luvas com esse calor.

— Não, na verdade, eu preciso sim — respondeu o animal, parando de soluçar e tirando suas patas do rosto para olhar para a garotinha com ar reprovador. — Minhas mãos vão ficar queimadas com o sol e bronzeadas se eu não colocar minhas luvas, e eu as usei por tanto tempo que provavelmente vou pegar um resfriado se ficar sem elas.

— Que bobagem! — disse Dorothy. — Nunca ouvi falar de canguru usando luvas.

— Nunca? — perguntou o animal, como se estivesse surpreso.

— Nunca! — repetiu a garota. — E você provavelmente vai ficar doente se não parar de chorar. Onde você mora?

— A uns três quilômetros depois de Fuddlecumjig — foi a resposta. — Vovó Gnit fez as luvas para mim, e ela é uma dos Fuddles.

— Bom, é melhor você voltar para casa agora, e talvez a velha senhora faça um outro par de luvas para você — sugeriu Dorothy. — Estamos a caminho de Fuddlecumjig, e você pode ir pulando ao nosso lado.

Então eles continuaram a viagem, e o canguru foi pulando ao lado da carroça vermelha e parecia ter se esquecido de sua perda rapidamente. Depois de algum tempo o Mágico disse ao animal:

— Os Fuddles são pessoas legais?

— Ah, são muito legais — respondeu o canguru. — Isto é, quando são colocados juntos. Mas eles ficam terrivelmente espalhados e misturados, e então não é possível fazer nada com eles.

— O que você quer dizer com ficam espalhados? — perguntou Dorothy.

— Ora, eles são feitos de vários pedaços pequenos — explicou o canguru —; e sempre que um forasteiro chega perto deles eles têm o hábito de se soltar e espalhar. E é quando eles ficam terrivelmente misturados, e juntar suas peças novamente torna-se um quebra-cabeça difícil.

— Quem normalmente junta as peças?

— Qualquer pessoa que consiga montar peças. Às vezes eu monto a Vovó Gnit eu mesmo, porque eu a conheço tão bem que sei quais são as peças que pertencem a ela. Então, quando ela está montada, ela costura para mim, e foi assim que ela fez as minhas luvas. Mas ela levou uns bons dias costurando sem parar, e precisei montar a Vovó de novo umas boas vezes, porque sempre que eu me aproximava ela se espalhava.

— Eu achei que ela se acostumaria com você e não ficaria com medo — disse Dorothy.

— Não é isso — respondeu o canguru. — Eles não têm medo de nada, quando estão montados, e normalmente são muito felizes e agradáveis. É simplesmente um hábito que eles têm, eles se espalham, e se não fizessem isso não seriam os Fuddles.

Os viajantes pensaram seriamente no assunto por um tempo, enquanto o Cavalete continuava a conduzi-los rapidamente. Então tia Em observou:

— Não vejo muita utilidade em visitarmos os Fuddles. Se eles estiverem espalhados, só poderemos varrê-los, e então seguir para cuidar da nossa vida.

— Ah, acho que devemos ir até lá — respondeu Dorothy. — Estou ficando com fome, e precisamos encontrar um lugar para almoçar em Fuddlecumjig. Talvez a comida não esteja tão espalhada quanto as pessoas.

— Vocês vão encontrar bastante comida por lá — declarou o canguru, dando grandes saltos porque o Cavalete estava indo muito rápido —; e eles têm um ótimo cozinheiro também, se vocês conseguirem montá-lo. Lá está a cidade, bem na nossa frente!

Eles olharam para a frente e viram um grupo de casas muito bonitas em um campo verde um pouco afastado da estrada principal.

— Alguns Munchkins vieram aqui dias atrás e montaram várias pessoas — disse o canguru. — Acho que eles ainda estão montados, e se vocês andarem suavemente, sem fazer barulho, talvez eles não se espalhem.

— Vamos tentar — sugeriu o Mágico.

Eles então pararam o Cavalete, desceram da carroça e, depois de se despedirem do canguru, que voltou pulando para casa, entraram no campo e se aproximaram do grupo de casas com bastante cuidado.

Eles se moveram tão silenciosamente que logo viram através das janelas das casas as pessoas se movimentando, enquanto outras andavam de um lado para o outro pelo jardim entre as casas. De longe eles se pareciam muito com qualquer outra pessoa e, aparentemente, não perceberam que o pequeno grupo se aproximava.

Eles já estavam bem perto da casa mais próxima quando Totó viu um besouro grande atravessando o caminho e latiu alto para ele. No mesmo instante um estalo alto foi ouvido vindo das casas e quintais. Dorothy achou que o som era parecido com o de uma saraivada, e os visitantes, sabendo que não precisavam mais ter cautela, correram para ver o que acontecera.

Depois do barulho um silêncio intenso imperou na cidade. Os forasteiros entraram na primeira casa em que chegaram, que era também a maior, e viram o chão coberto por pedaços das pessoas que viviam ali. Eles mais pareciam fragmentos de madeira muito bem pintados, e eram de todos os tipos de formatos curiosos e fantásticos, nenhuma peça era igual à outra.

Eles pegaram alguns pedaços e olharam para eles com cuidado. O pedaço que Dorothy segurava era um olho, que olhava para ela de maneira agradável e que parecia interessado, como se imaginando o que ela ia fazer com aquilo. Bem perto de onde estava ela avistou e pegou um nariz, e ao colocar as duas peças juntas descobriu que eram parte de um rosto.

— Se eu conseguisse encontrar a boca — disse ela —, esse Fuddle talvez conseguisse falar e nos dizer o que fazer em seguida.

— Então vamos procurar — respondeu o Mágico, e então todos se abaixaram e começaram a procurar entre os pedaços espalhados pelo chão.

— Achei! — gritou o Homem-Farrapo.

Ele correu até Dorothy com uma peça de formato estranho e que tinha uma boca nela. Mas quando tentaram encaixar a boca no olho e no nariz perceberam que as partes não se encaixavam.

— Essa boca é de outra pessoa — disse Dorothy. — Vejam só, precisamos de uma curva aqui e um ponto ali, para que ela se encaixe no rosto.

— Bom, ela tem que estar por aqui em algum lugar — declarou o Mágico. — Então, se continuarmos procurando vamos acabar encontrando.

Dorothy então encaixou uma orelha no rosto e a orelha tinha uma pequena porção de cabelo sobre ela. Assim, enquanto os outros procuravam pela boca ela caçava peças com cabelo vermelho, e encontrou várias que, quando colocadas junto com outras peças formavam o topo da cabeça de um homem. Ela também já tinha encontrado o outro olho e a outra orelha quando Omby Amby, que estava em um canto mais distante, encontrou a boca. Quando o rosto estava então completo todas as partes foram juntadas com uma exatidão impressionante.

— Ora, isso parece um quebra-cabeça! — exclamou a garotinha. — Vamos encontrar o resto do corpo dele para podermos juntar tudo.

— O que é o resto do corpo dele? — perguntou o Mágico. — Temos aqui algumas peças de pernas azuis e braços verdes, mas não sei se são dele ou não.

— Procurem por uma camisa branca e um avental branco — disse a cabeça que havia sido formada, falando com uma voz bastante fraca. — Eu sou o cozinheiro.

— Ah, obrigada — disse Dorothy. — Que sorte termos começado por você, pois estou com fome e você pode cozinhar alguma coisa para comermos enquanto juntamos as peças do restante do pessoal.

Não foi tão difícil encontrar as outras peças que pertenciam ao cozinheiro, agora que eles já tinham uma pista de como o homem estava vestido, e como todos agora trabalhavam no cozinheiro, experimentando peça por peça pra ver se ela se encaixava, eles finalmente conseguiram montá-lo.

Quando terminaram, ele curvou-se para todos e disse:

— Vou já para a cozinha preparar o jantar para vocês. Vocês vão encontrar bastante trabalho para montar todos os Fuddles, por isso aconselho que comecem com o Alto Lorde Chigglewitz, cujo primeiro nome é Larry. Ele é um homem gordo de cabeça careca e está usando um casaco azul com botões de metal, um colete cor-de-rosa e calças básicas. Um pedaço de seu joelho esquerdo está faltando, pois ele o perdeu anos atrás quando se esparramou sem tomar muito cuidado. Isso faz com que ele manque um pouco, mas ele se vira muito bem com meio joelho. Como ele é o chefe da cidade de Fuddlecumjig, ele também poderá receber vocês e ajudá-los com os outros. Então, será melhor trabalhar nele enquanto preparo o jantar de vocês.

— Faremos isso — disse o Mágico. — E agradecemos muito a você, Cozinheiro, por sua sugestão.

Tia Em foi a primeira a encontrar uma peça do Alto Lorde Chigglewitz.

— Para mim isso parece um trabalho tolo, essa história de juntar as peças dessas pessoas — observou ela. — Mas, como não temos nada para fazer até o jantar ficar pronto, podemos muito bem nos livrar desses entulhos. Tome, Henry, ocupe-se e procure pela cabeça careca do Larry. Eu estou com o colete cor-de-rosa dele.

Eles trabalharam com grande interesse e Billina mostrou-se ser de grande ajuda para eles. A Galinha Amarela tinha olhos atentos e conseguia colocar sua cabeça perto de várias peças que estavam esparramadas pelo chão. Ela examinava o Alto Lorde Chigglewitz e via qual era a próxima peça que precisavam, e então procurava até encontrar. Assim, em menos de uma hora o velho Larry estava completo e em pé perante eles.

"EU SOU COZINHEIRO."

— Parabenizo vocês, meus amigos — disse ele, falando com a voz animada. — Vocês com certeza são as pessoas mais espertas que já nos visitaram. Nunca juntaram minhas peças tão rapidamente em toda a minha vida. Normalmente sou considerado um grande quebra-cabeça.

— Bem — disse Dorothy —, costumava ter uma febre por quebra-cabeças no Kansas, e por isso eu tenho alguma experiência em montar quebra-cabeça. Mas as imagens que montávamos eram retas, e vocês são redondos, e isso torna mais difícil descobrir as peças.

— Obrigado, minha querida — respondeu o velho Larry, bastante satisfeito. — Eu me sinto altamente elogiado. Se eu não fosse um quebra-cabeça realmente muito bom não haveria nenhuma razão para eu me espalhar.

— Por que vocês fazem isso? — perguntou a tia Em com a voz severa. — Por que vocês não se comportam, e ficam montados?

O Alto Lorde Chigglewitz parecia incomodado com essa fala, mas respondeu de maneira educada:

— Madame, talvez a senhora tenha percebido que toda pessoa tem alguma peculiaridade. A minha é me esparramar. Eu não arrisco comentar sobre a peculiaridade da senhora mas nunca a julgarei por isso, faça o que fizer.

— Aí está o resultado que você tanto esperava, Em — disse o tio Henry, com uma gargalhada. — E estou feliz com ele. Esse é um país estranho, e precisamos aceitar as pessoas que encontramos aqui como elas são.

— Se fizéssemos isso, teríamos deixado esses camaradas esparramados no chão — respondeu ela, e essa resposta fez todo mundo cair na gargalhada.

Neste momento, Omby Amby encontrou uma mão com uma agulha de costura nela, e então decidiu montar as peças da Vovó Gnit. Ela se mostrou ser um quebra-cabeça mais fácil do que o velho Larry, e quando estava completa ela se revelou uma agradável senhora que os recebeu com cordialidade. Dorothy contou a ela que o canguru perdera suas luvas e a Vovó Gnit prometeu começar a trabalhar logo para fazer um outro par para o pobre animal.

O cozinheiro então veio chamá-los para o jantar e eles encontraram uma refeição convidativa preparada para eles. O Alto Lorde Chigglewitz sentou-se na ponta da mesa e a Vovó Gnit na outra ponta, e os convidados tiveram momentos agradáveis e se divertiram bastante.

Depois do jantar eles foram para o quintal e juntaram várias outras pessoas, e esse trabalho era tão interessante que eles poderiam ter passado o dia inteiro em Fuddlecumjig se o Mágico não tivesse sugerido que eles retomassem a viagem.

— Mas eu não quero deixar essas pobres pessoas esparramadas — disse Dorothy, sem saber o que fazer.

— Ah, não se preocupe conosco, minha querida — respondeu o velho Larry. — Quase todos os dias os Gillikins, ou os Munchkins, ou os Winkies vêm até aqui para se divertirem juntando nossas peças, então não há problema algum em deixar essas peças onde estão por um tempo. Mas espero que vocês voltem a nos visitar, e se fizerem isso serão sempre bem-vindos, garanto a vocês.

— Vocês nunca montam as peças uns dos outros? — perguntou ela.

— Nunca, pois para nós não somos quebra-cabeças, e então não teria nenhuma graça fazer isso.

Eles então se despediram dos esquisitos Fuddles e subiram na carroça para continuar a viagem.

— Essas pessoas são realmente estranhas — observou a tia Em, pensativa, enquanto se afastavam de Fuddlecumjig. — Mas eu realmente não consigo entender para que eles servem, de jeito nenhum.

— Ora, eles nos mantiveram entretidos por várias horas — respondeu o Mágico. — Tenho certeza de que é para isso que eles servem.

— Acho que é mais divertido brincar com eles do que com as cartas de um baralho — declarou o tio Henry, com calma. — Da minha parte, estou feliz por termos visitado os Fuddles.

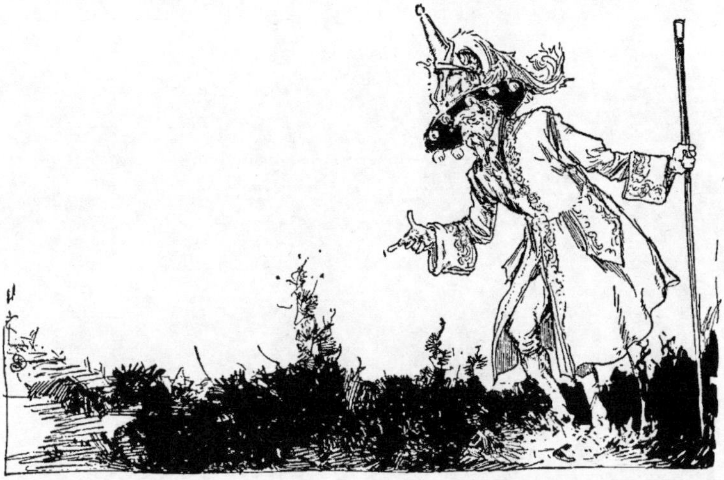

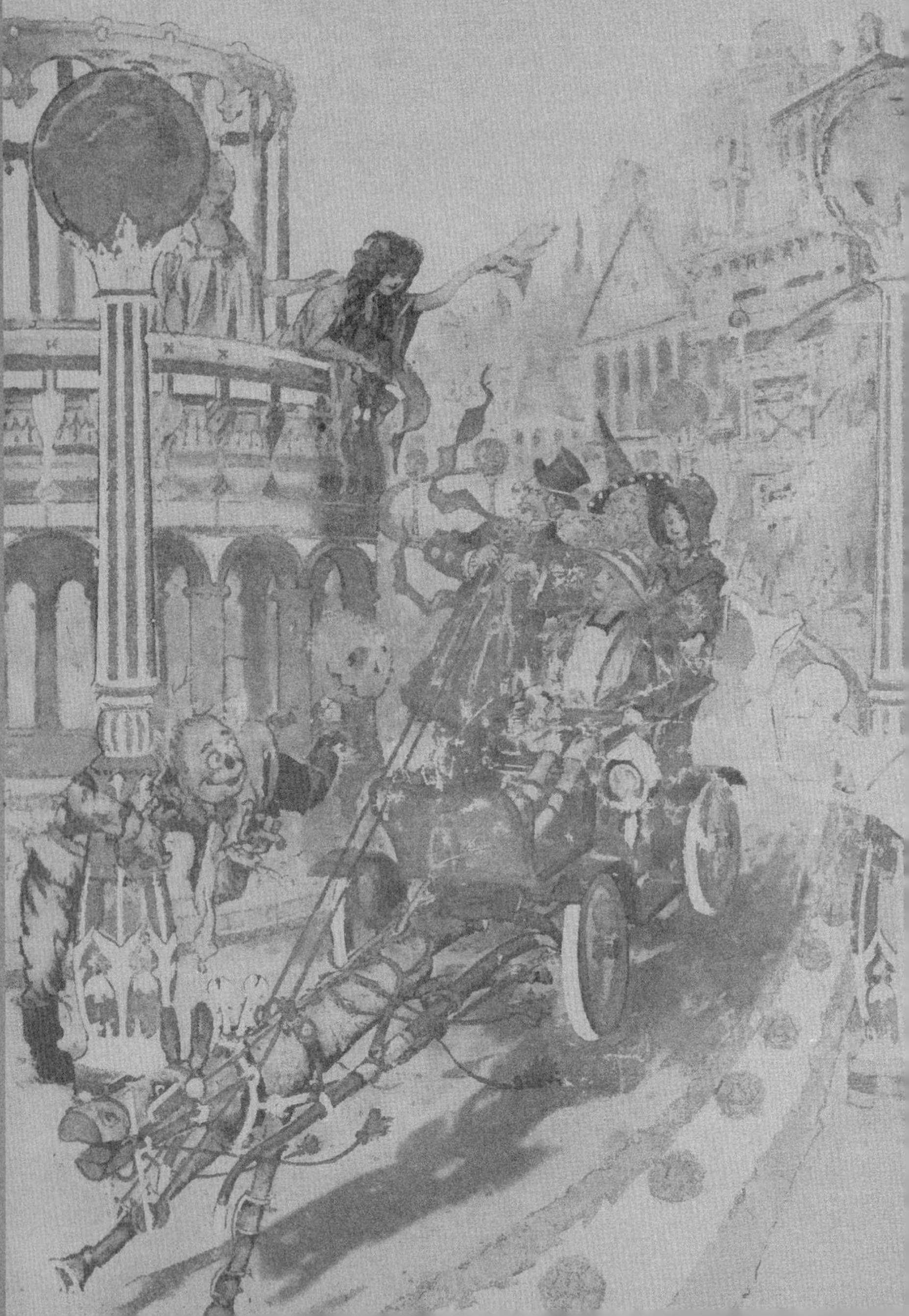

CAPÍTULO 13
QUANDO O GENERAL CONVERSOU COM O REI

Quando o General Guph voltou para a caverna do Rei Nomo sua Majestade perguntou:

— Ora, e então? Os Whimsies vão se juntar a nós?

— Vão sim — respondeu o General. — Eles vão lutar conosco com toda sua força e astúcia.

— Ótimo! — exclamou o Rei. — E o que você prometeu a eles em troca?

— Sua Majestade deve usar seu Cinto Mágico para dar a cada Whimsie uma cabeça grande e bonita no lugar da cabeça pequena que hoje eles são obrigados a usar.

— Concordo com isso — disse o Rei. — Isso é uma boa notícia, Guph, e me deixa mais certo sobre a conquista de Oz.

— Mas tenho mais novidades para você — anunciou o General.

— Novidades boas ou ruins?

— Boas, sua Majestade.

— Então pode falar — disse o Rei, interessado.

— Os Growleywogs também se juntaram a nós.

— Não! — gritou o rei, surpreso.

— Sim, é verdade — disse o General. — Eles me prometeram.

— Mas o que eles querem em troca? — perguntou o Rei, desconfiado, pois ele sabia como os Growleywogs eram gananciosos.

— Eles querem algumas das pessoas de Oz como seus escravos — respondeu Guph.

Ele não achou necessário contar a Roquat que os Growleywogs exigiram vinte mil escravos. Ele diria isso no momento certo, depois que Oz fosse conquistada.

— Um pedido bastante razoável, com certeza — observou o Rei. — Preciso parabenizar você, Guph, pelo seu maravilhoso sucesso em sua jornada.

— Mas ainda não é tudo — disse o General, orgulhoso.

O Rei parecia espantado.

— Diga, senhor! — ordenou ele.

— Fui visitar o Primeiro e Mais Importante Fanfasmo na Montanha do Fantástico, e ele trará seu povo para nos ajudar.

— O quê? — gritou o Rei. — Os Fanfasmos! Você não pode estar falando sério, Guph!

— É verdade — declarou o General, orgulhoso.

O Rei ficou pensativo e franziu a testa.

— Receio, Guph — disse ele, bastante ansioso —, que o Primeiro e Mais Importante vai se mostrar tão perigoso para nós quanto para o povo de Oz. Se ele e seu terrível bando descerem a montanha, podem ter a intenção de conquistar os Nomos!

— Imagina! Isso é bobagem — respondeu o Guph, irritado, mas ele sabia no fundo de seu coração que o Rei estava certo. — O Primeiro e Mais Importante é um amigo particular meu, e não vai nos prejudicar. Ora, quando eu estava lá, ele até me convidou para ir até a casa dele.

O General não comentou com o Rei que fora jogado dentro da casa do Primeiro e Mais Importante graças a um arco de metal. Então Roquat, o Vermelho, olhou para seu General admirado e disse:

— Você é um Nomo maravilhoso, Guph. Eu me arrependo por não ter tornado você meu General antes. Mas que recompensa o Primeiro e o Mais Importante exigiu?

— Nenhuma recompensa — respondeu o Guph. — Nem mesmo o Cinto Mágico poderia aumentar seus poderes de feitiçaria. Todos os Fanfasmos querem destruir o povo de Oz, que são um povo bom e feliz. Esse prazer será o pagamento por eles nos ajudarem.

— Quando eles virão? — perguntou Roquat, um pouco receoso.

— Quando o túnel estiver pronto — disse o General.

— Já estamos quase na metade do deserto — anunciou o Rei — e o trabalho está indo rápido, pois para construir o túnel precisamos perfurar rochas bastante sólidas. Mas depois de termos passado pelo deserto não vai demorar muito para levarmos o túnel até o muro da Cidade das Esmeraldas.

— Bom, assim que estivermos prontos os Whimsies, os Growleywogs e os Fanfasmos se juntarão a nós — disse o Guph. — Então a conquista de Oz está garantida.

Mais uma vez o Rei pareceu pensativo.

— Estou quase arrependido por não termos levado adiante a conquista de Oz sozinhos — disse ele. — Todos esses aliados são pessoas perigosas e eles podem exigir mais do que você prometeu a eles. Talvez teria sido melhor conquistar Oz sem nenhuma ajuda externa.

— Não conseguiríamos fazer isso — disse o General, de maneira afirmativa.

— Por que não, Guph?

— Você sabe muito bem. Você já teve uma experiência com o povo de Oz, e eles derrotaram você.

— Isso foi porque eles jogaram seus ovos em nós — respondeu o Rei, estremecendo. — Os meus Nomos não suportam ovos, e eu também não. Eles são veneno para todos aqueles que vivem no mundo subterrâneo.

— Isso é bem verdade — concordou Guph.

— Mas poderíamos ter surpreendido o povo de Oz, e conquistado a todos antes de eles terem a chance de pegar ovos. Nossa outra derrota aconteceu porque a garota

Dorothy tinha uma Galinha Amarela com ela. Não sei o que aconteceu com a galinha, mas acredito que não existam galinhas na Terra de Oz, e por isso não podem existir ovos por lá.

— Você está enganado — disse Guph. — Existem agora centenas de galinhas em Oz, e elas botam pilhas daqueles ovos perigosos. Conheci um açor no meu caminho de volta para casa e o pássaro me informou que esteve há pouco em Oz para capturar e devorar alguns dos jovens pintinhos. Mas eles são protegidos por magia, por isso o falcão não consegui pegar nenhum deles.

— Essa notícia é muito ruim — disse o Rei, nervoso. — Muito ruim mesmo. Meus Nomos querem lutar, mas simplesmente não conseguem enfrentar ovos de galinha – e não os culpo por isso.

— Eles não vão precisar encarar os ovos — respondeu o Guph. — Eu mesmo tenho receio dos ovos, e não acho que podemos correr nenhum risco de sermos envenenados por eles. Meu plano é enviar os Whimsies pelo túnel primeiro, depois os Growleywogs e então os Fanfasmos. Quando os Nomos chegarem lá os ovos já terão sido todos usados, e poderemos então perseguir e capturar os habitantes como bem quisermos.

— Talvez você esteja certo — respondeu o Rei, com um suspiro sombrio. — Mas quero que fique bem entendido que exijo que Ozma e Dorothy sejam minhas prisioneiras. Elas são garotas muito boas, e não pretendo deixar que nenhuma daquelas criaturas terríveis façam mal a elas, ou as tornem suas escravas. Quando eu as capturar, trarei as duas para cá e as transformarei em bibelôs para enfeitar minha chaminé. Elas vão ficar lindas - Dorothy em uma ponta e Ozma na outra - e vou cuidar muito bem delas para que elas não sejam quebradas quando as serviçais forem tirar pó das estátuas.

— Muito bem, sua Majestade. Faça o que quiser com as garotas. Agora que nosso plano está montado e temos os três bandos de espíritos do mal mais poderosos do mundo para nos ajudar, vamos nos apressar para terminar o túnel o mais rápido possível.

— Ele estará pronto em três dias — prometeu o Rei que se apressou a ir inspecionar o trabalho e se certificar de que os Nomos estavam atarefados.

CAPÍTULO 14
QUANDO O MÁGICO PRATICOU FEITIÇARIA

— Para onde vamos agora? — perguntou o Mágico quando deixaram a cidade de Fuddlecumjig e o Cavalete voltou a andar pela estrada.

— Ora, foi Ozma quem planejou esta viagem — respondeu Dorothy. — E ela nos aconselhou a visitar os Rigmaroles agora, e depois irmos até o Homem de Lata.

— Isso parece bom — disse o Mágico. — Mas que estrada pegamos para ir até os Rigmaroles?

— Não sei exatamente — respondeu a garotinha —, mas deve ser alguma estrada a sudoeste daqui.

— Então, por que precisamos voltar até o cruzamento? — perguntou o Homem-Farrapo. — Podemos economizar bastante tempo se já mudarmos de direção aqui.

— Não tem nenhuma estrada aqui — observou o tio Henry.

— Então é melhor voltarmos até a placa para termos certeza do caminho a seguir — decidiu Dorothy.

Mas depois de terem andado um pouco o Cavalete, que ouvira a conversa, parou e disse:

— Aqui tem um caminho.

De fato, um caminho não muito distinto parecia sair da estrada onde estavam e passava por lindos campos verdes e bosques frondosos indo diretamente para o sudoeste.

— Parece ser um bom caminho — disse Omby Amby. — Por que não vamos por ele?

— Tudo bem — respondeu Dorothy. — Estou ansiosa para ver como são os Rigmaroles, e esse caminho deve nos levar até lá mais rapidamente.

Ninguém se opôs ao plano e então o Cavalete virou no caminho, que se mostrou ser quase tão bom quanto aquele que tinham percorrido para chegar até os Fuddles.

Primeiro passaram por algumas casas afastadas, mas logo essas habitações espalhadas foram deixadas para trás e apenas os campos e as árvores podiam ser vistos à frente deles. Mas eles continuaram bastante satisfeitos e tia Em começou uma discussão com Billina sobre a maneira adequada de se criar galinhas.

— Não quero lhe contradizer — disse a Galinha Amarela, com dignidade —, mas tenho a impressão de que sei mais sobre galinhas do que os seres humanos.

— Bah! — respondeu tia Em. — Criei galinhas por quase quarenta anos e sei que é necessário deixá-las passar fome para que botem muitos ovos, e enchê-las de comida se quiser que fiquem boas para serem assadas.

— Assadas! — exclamou Billina, aterrorizada. — Assar minhas galinhas!

— Ora, é para isso que elas servem, não é? — perguntou tia Em, espantada.

— Não, tia, não em Oz — respondeu Dorothy. — As pessoas não comem galinhas aqui. Sabe, Billina foi a primeira galinha jamais vista nessas terras e fui eu quem a trouxe para cá. Todos gostaram dela e a respeitaram, então o povo de Oz jamais comeria suas galinhas assim como não comeriam Billina.

— Essa, agora! — arfou tia Em. — E quanto aos ovos?

— Ah, se tivermos mais ovos do que queremos chocar, então permitimos que as pessoas os comam — disse Billina. — Na verdade, fico muito feliz em saber que o povo de Oz gosta de nossos ovos, caso contrário eles estragariam.

— Esse realmente é um país estranho — suspirou tia Em.

— Com licença — interrompeu o Cavalete —, o caminho acabou e eu gostaria de saber por onde seguir.

Eles olharam em volta e, realmente, não havia nenhum caminho à vista.

— Ora — disse Dorothy —, estamos indo para o sudoeste, e não me parece difícil continuar seguindo adiante mesmo sem ter um caminho.

— Certamente — respondeu o Cavalete. — Não é difícil levar a carroça pelo campo. Só preciso saber para onde ir.

— Tem uma floresta lá na frente, do outro lado da pradaria — disse o Mágico —, e ela está na direção em que estamos indo. Siga em frente na direção da floresta, Cavalete, e provavelmente estará no caminho certo.

O animal de madeira continuou então trotando e o campo era tão suave que a viagem seguia tranquila. Mas Dorothy estava um pouco incomodada por ter perdido o caminho, pois não havia nada para guiar sua direção.

Não havia casas à vista, por isso eles não podiam perguntar sobre o caminho para nenhum fazendeiro; e embora a Terra de Oz sempre fosse bonita, por onde quer que fossem, essa parte do país era estranha para todo o grupo.

— Acho que estamos perdidos — sugeriu a tia Em, depois de terem avançado uma longa distância em silêncio.

— Não se preocupe — disse o Homem-Farrapo. — Já me perdi várias vezes - e Dorothy também - e sempre encontramos o caminho novamente.

— Mas podemos ficar com fome — observou Omby Amby. — Essa é a pior parte de se perder em um lugar onde não existem casas por perto.

— Fizemos uma boa refeição na cidade dos Fuddle — disse o tio Henry —, e por isso vai demorar para morrermos de fome.

— Ninguém jamais morreu de fome em Oz — declarou Dorothy. — Mas as pessoas podem ficar com bastante fome às vezes.

O Mágico não disse nada, e não parecia estar preocupado. O Cavalete trotava rapidamente, mas ainda assim a floresta parecia mais distante do que da primeira vez em que a avistaram. O sol já estava quase se pondo quando finalmente chegaram até as árvores, e então se viram em um lugar maravilhoso, as árvores imensas eram cobertas por trepadeiras floridas e havia musgos macios embaixo delas.

— Esse será um bom lugar para acamparmos — disse o Mágico quando o Cavalete parou para receber instruções.

— Acampar! — disseram todos.

— Certamente — respondeu o Mágico. — Logo estará escuro e não podemos viajar por essa floresta durante a noite. Então vamos montar acampamento aqui, faremos uma refeição e dormiremos até o amanhecer.

Todos olharam assustados para o pequeno homem e tia Em disse, fungando:

— Que belo acampamento será esse! Suponho que você queira que a gente durma embaixo da carroça.

— E masque a grama para chamar de refeição — acrescentou o Homem-Farrapo, rindo.

Mas Dorothy parecia não ter dúvidas e estava bastante animada.

— Que sorte termos o maravilhoso Mágico conosco — disse ela. — Ele pode fazer praticamente qualquer coisa que quiser.

— Ah, sim. Eu me esqueci que temos um Mágico entre nós — disse o tio Henry, olhando curioso para o homenzinho.

— Eu não — respondeu Billina, satisfeita.

O Mágico sorriu e desceu da carroça, e todos os outros o seguiram.

— Para acampar — disse ele —, a primeira coisa que precisamos são barracas. Alguém pode, por favor, me emprestar um lenço?

O Homem-Farrapo ofereceu um lenço a ele e a tia Em ofereceu outro. Ele pegou os dois lenços e os colocou com cuidado na grama perto da beirada da floresta. Então colocou seu próprio lenço no chão também e, ficando em pé um pouco atrás deles, ele acenou sua mão esquerda na direção dos lenços e disse:

— **Cabanas de lona, brancas como a neve,**
Tratem de se armar como devem!

Então, eis que os lenços se transformaram em pequenas cabanas e, enquanto os viajantes olhavam para elas, foram ficando maiores e maiores, até que em poucos minutos cada uma delas era grande o suficiente para abrigar o grupo todo.

— Essa — disse o Mágico, apontando para a primeira cabana — é a acomodação das damas. Dorothy, você e sua tia podem entrar nela e pegar suas coisas.

Todos correram para olhar dentro da cabana e viram duas lindas camas brancas, arrumadas para Dorothy e tia Em, e um poleiro prateado para Billina. Tapetes estavam espalhados sobre o chão de grama e algumas cadeiras de acampamento e uma mesa completavam a decoração.

— Ora, ora, ora! Isso ganha de tudo o que já vi ou ouvi! — exclamou a tia Em, e olhou para o Mágico quase com medo, como se ele fosse uma criatura perigosa por causa de seus grandes poderes.

— Ah, senhor Mágico! Como você conseguiu fazer isso? — perguntou Dorothy.

— É um truque que Glinda, a Feiticeira, me ensinou e é uma mágica muito melhor do que a que eu costumava praticar em Omaha, ou quando eu cheguei a Oz — respondeu ele. — Quando a Boa Glinda descobriu que eu ia morar na Cidade das Esmeraldas para sempre ela prometeu me ajudar, pois disse que o Mágico de Oz deveria realmente ser um Mágico esperto, e não um impostor. Então temos passado bastante momentos juntos e estou aprendendo tão rápido que espero ser capaz de realizar algumas coisas maravilhosas com o tempo.

— Você acabou de fazer isso! — declarou Dorothy. — Essas cabanas são simplesmente maravilhosas!

— Então venham ver a cabana dos homens — disse o Mágico.

O grupo foi até a segunda cabana, que tinha beiradas esfarrapadas, pois fora feita a partir do lenço do Homem-Farrapo, e viram que ela também estava totalmente mobiliada. Continha quatro camas muito bem arrumadas para o tio Henry, Omby Amby, Homem-Farrapo e o Mágico. E tinha também um tapete macio para que Totó dormisse nele.

— A terceira cabana — explicou o Mágico — é nossa sala de jantar e nossa cozinha.

Eles entraram na próxima cabana e encontraram uma mesa e louças na sala de jantar, com várias daquelas coisas necessárias para cozinhar. O Mágico pegou um grande caldeirão e colocou-o balançando em uma barra transversal diante da cabana. Enquanto fazia isso, Omby Amby e o Homem-Farrapo trouxeram lenha da floresta e construíram uma fogueira embaixo do caldeirão.

— Agora, Dorothy — disse o Mágico, sorrindo —, espero que você cozinhe o nosso jantar.

— Mas não há nada no caldeirão — exclamou ela.

— Tem certeza? — perguntou o Mágico.

— Eu não vi nada ser colocado lá dentro, e tenho quase certeza de que ele estava vazio quando você o pegou — respondeu ela.

— De qualquer maneira — disse o homenzinho, piscando maliciosamente para o tio Henry —, você deve vigiar nossa sopa, minha querida, para que ela não transborde.

Os homens então pegaram alguns baldes e foram até a floresta procurar por água, e enquanto estavam lá tia Em disse a Dorothy:

— Acho que o Mágico está nos enganando. Eu mesma vi o caldeirão, e quando ele o pendurou sobre o fogo não havia nada dentro dele além de ar.

— Não se preocupe — observou Billina, confiante, enquanto se acomodava na grama perante o fogo. — Você vai encontrar alguma coisa dentro do caldeirão quando tirar ele do fogo - e não será uma pobre e inocente galinha, pode acreditar.

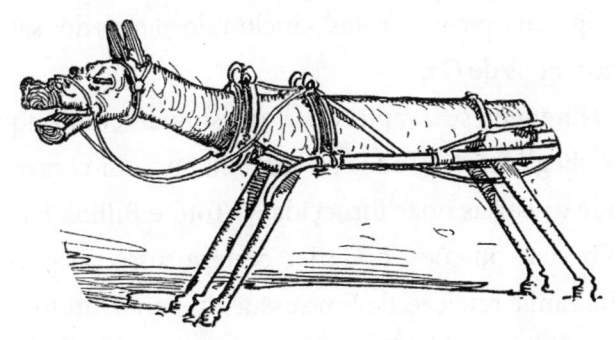

— Essa sua galinha é muito mal-educada, Dorothy — disse a tia Em com um pouco de desdém para Billina. — Acho muito ruim ela ter aprendido a falar.

Provavelmente teria acontecido uma outra briga desagradável entre tia Em e Billina se os homens não tivessem voltado naquele momento com seus baldes cheios de água limpa e reluzente. O Mágico disse a Dorothy que ela era uma boa cozinheira e que ele acreditava que a comida estava pronta.

Então o tio Henry tirou o caldeirão do fogo e derramou seu conteúdo em uma grande travessa que o Mágico segurou para ele. A travessa estava repleta de um guisado fino, fumegante, com muitos tipos de vegetais e bolinhos e um molho rico e delicioso.

O Mágico, triunfante, colocou a tigela sobre a mesa na cabana de jantar e então todos se sentaram nas cadeiras de acampamento para o banquete.

Havia várias outras comidas sobre a mesa, todas cuidadosamente cobertas, e quando chegou a hora de remover os panos que as cobriam viram que lá havia pães e manteiga, bolos, queijos, picles e frutas – incluindo alguns dos saborosos morangos de Oz.

Ninguém se aventurou a questionar como aquelas coisas chegaram lá. Todos se contentaram em comer com vontade as coisas boas fornecidas e Totó e Billina também tiveram suas porções, pode ter certeza disso. Depois que terminaram a refeição tia Em sussurrou para Dorothy:

— Essa comida deve ter sido mágica, minha querida, e por isso talvez não seja muito nutritiva, mas gostaria de dizer que estava boa como nunca.

E acrescentou, em tom mais alto:

— Quem vai lavar a louça?

— Ninguém, madame — respondeu o Mágico. — As louças vão se lavar sozinhas.

— Minha nossa! — soltou a mulher, levantando as mãos impressionada.

E quando ela olhou para as louças que estavam sobre a mesa um minuto antes, descobriu que já estavam todas lavadas, secas e dispostas em perfeitas pilhas.

CAPÍTULO 15
QUANDO DOROTHY
ACABOU SE PERDENDO

A noite estava linda e eles pegaram suas cadeiras de acampamento, colocaram-nas em círculo em frente às cabanas e começaram a contar histórias para se entreterem e passar o tempo antes de irem para a cama.

Logo uma zebra foi vista saindo da floresta, e ela trotou na direção deles e disse, com educação:

— Boa noite, pessoal.

A zebra era um animalzinho lustroso e tinha uma cabeça fina, uma juba baixa e um rabo que parecia um pincel – muito parecido com o de um burro. Seu corpo branco perfeitamente moldado era coberto por listras regulares marrom-escuro, e seus cascos eram delicados como os cascos dos veados.

— Boa noite, amiga Zebra — disse Omby Amby em resposta ao cumprimento da criatura. — Podemos ajudar você em alguma coisa?

— Sim — respondeu a zebra. — Eu gostaria que vocês me ajudassem em uma aposta que há muito tempo me incomoda. Gostaria de saber se existe mais água ou mais terra no mundo.

— Com quem você apostou? — perguntou o Mágico.

— Com um caranguejo de casca mole — disse a zebra. — Ele vive em um lago onde tomo água todos os dias, e é um caranguejo bastante impertinente, eu lhes digo isso. Já falei várias vezes a ele que a extensão de terra é muito maior do que a extensão de água, mas ele não se convence. Mesmo hoje à noite, quando disse a ele que ele era uma criatura insignificante que morava em um pequeno lago, ele afirmou que a quantidade de água é maior e que a água é mais importante do que a terra. Então, ao ver vocês acampados aqui, decidi pedir ajuda para resolver essa questão de uma vez por todas, e assim não vou mais ser incomodado por esse caranguejo ignorante.

Depois de ouvirem essa explicação Dorothy perguntou:

— Onde está o caranguejo de casca mole?

— Não muito longe — respondeu a zebra. — Se vocês concordarem em nos ajudar vou correndo buscá-lo e trago ele aqui.

— Pode ir então — disse a garotinha.

O animal saiu galopando para dentro da floresta e logo voltou. Quando ele se aproximou o grupo viu um caranguejo de casca mole segurando na juba da cabeça da zebra, pendurado por uma garra.

— Pronto, senhor Caranguejo — disse a zebra —, aqui estão as pessoas sobre as quais falei; e elas sabem mais do que você, que vive em um lago, e mais do que eu, que vivo na floresta. Elas são viajantes e conhecem todas as partes do mundo.

— Existe mais mundo do que apenas as terras de Oz — declarou o caranguejo, com a voz obstinada.

— Isso é verdade — disse Dorothy. — Mas eu morava no Kansas, nos Estados Unidos, e já estive na Califórnia e na Austrália, assim como o tio Henry.

— Quanto a mim — acrescentou o Homem-Farrapo —, já estive no México e em Boston, e em muitos outros países estrangeiros.

— E eu — disse o Mágico —, já estive na Europa e na Irlanda.

— Está vendo — continuou a zebra, dirigindo-se ao caranguejo. — Eis aqui pessoas realmente importantes, que sabem o que estão falando.

— Então eles sabem que no mundo existe mais água do que terra — observou o caranguejo, com a voz esganiçada e petulante.

— Eles sabem que você está errado ao afirmar algo tão absurdo, e provavelmente vão pensar que você é uma lagosta e não um caranguejo — respondeu o animal.

Ao ouvir essa provocação, o caranguejo levantou sua outra garra e alcançou a orelha da zebra, e a criatura soltou um grito de dor e começou a pular, tentando tirar a garra do caranguejo, que se segurava firme.

— Pare de me beliscar! — gritou a zebra. — Você prometeu não me beliscar se eu trouxesse você até aqui!

— E você prometeu me tratar com respeito — disse o caranguejo, soltando a orelha da zebra.

— Ora, e eu não fiz isso? — perguntou a zebra.

— Não; você me chamou de lagosta — disse o caranguejo.

— Senhoras e senhores — continuou a zebra — por favor, perdoem meu pobre amigo, pois ele é estúpido e ignorante e não entende nada. Além disso, o beliscão de sua garra é muito incômodo. Então por favor, digam a ele que o mundo tem mais terra do que água e quando ele tiver ouvido as palavras de vocês eu o levarei de volta e o jogarei no lago, onde espero que ele aprenda a ser mais modesto daqui para a frente.

— Mas não podemos lhes dizer isso — disse Dorothy, com seriedade. — Pois não estaríamos falando a verdade.

— O quê? — exclamou a zebra, espantada. — Estou ouvindo direito?

— O caranguejo de casca mole está correto — declarou o Mágico. — Existe muito mais água no mundo do que terra.

— Impossível! — protestou a zebra. — Ora, posso passar dias correndo sobre a terra, e encontro muito pouca água pelo caminho.

— Você já viu um oceano? — perguntou Dorothy.

— Não, nunca — admitiu a zebra. — Não existe oceano na Terra de Oz.

— Bom, existem vários oceanos no mundo — disse Dorothy —, e as pessoas navegam em navios sobre esses oceanos por semanas e semanas, sem nunca ver um pedacinho de terra sequer. E os geógrafos lhes dirão que se colocarmos todos os oceanos juntos eles serão maiores do que toda a terra colocada junto.

Ao ouvir isso, o caranguejo começou a soltar um riso abafado que fez Dorothy se lembrar da maneira como Billina às vezes cacarejava.

— *Agora* você desiste, senhor Zebra? — perguntou ele, em tom zombeteiro. — Agora você desiste?

A zebra parecia muito humilhada.

— Claro que não entendo de geografia — disse ele.

— Você poderia tomar uma das Pílulas Escolares do Mágico — sugeriu Billina — e isso o deixaria sábio e esperto sem precisar estudar.

O caranguejo começou a rir novamente, e isso incomodou a zebra a ponto de ela tentar tirar a pequena criatura de suas costas. E isso resultou em mais beliscões na orelha, e finalmente Dorothy disse a eles que se os dois não se comportassem, eles deveriam voltar para a floresta.

— Fico triste por ter pedido a vocês para resolverem essa questão — disse a zebra, zangada. — Até agora, enquanto nenhum de nós podia provar quem estava certo, nós até que gostávamos de nossa aposta, mas agora não vou mais poder beber água naquele lago sem que o caranguejo de casca mole ria da minha cara. Vou precisar procurar um outro lugar para beber água.

— Faça isso! Faça isso, seu ignorante! — gritou o caranguejo o mais alto que conseguiu. — Vá procurar um outro lago para agitar com seus cascos desajeitados, e deixe aqueles que são superiores a você em paz!

A zebra então trotou de volta para a floresta, levando o caranguejo com ela, desaparecendo entre as árvores sombrias. E como agora estava ficando escuro, os viajantes se despediram uns dos outros e foram para a cama.

Dorothy acordou quando a luz começou a brilhar na manhã seguinte e, como não queria dormir mais, levantou-se em silêncio, vestiu-se e saiu da cabana onde tia Em ainda dormia tranquilamente.

Do lado de fora, Billina estava ocupada bicando à procura de insetos ou outro tipo de comida para o café da manhã, mas nenhum dos homens da outra cabana parecia ter acordado ainda. A garotinha então decidiu dar uma volta na floresta e tentar descobrir algum caminho ou estrada que pudessem seguir novamente e retomar sua jornada.

Ela tinha chegado na beirada da floresta quando a Galinha Amarela chegou agitada perto dela e perguntou onde ela estava indo.

— Só vou dar uma caminhada, Billina; e talvez encontre algum caminho — disse Dorothy.

— Então vou com você — decidiu Billina e ela mal terminara de falar quando Totó veio correndo e se juntou a elas.

Totó e a Galinha Amarela haviam se tornado bastante amigos então, embora no começo eles não tenham se dado muito bem. Billina era bastante desconfiada em relação aos cachorros, e Totó achava que era função do cachorro caçar galinhas. Mas Dorothy conversara com os dois e ficava brava com eles por brigarem um com o outro até que começaram a conviver melhor e se tornaram amigos.

Não vou dizer que eles se amavam, mas pelo menos tinham parado de brigar e agora conseguiam conviver um com o outro muito bem.

O dia ficava mais claro a cada minuto e levava as sombras escuras para fora da floresta; e Dorothy achou aquela caminhada por entre as árvores bastante agradável. Ela andou um pouco em uma direção, mas não encontrou um caminho, e acabou pegando uma direção diferente. Não havia nenhum caminho ali, também, embora ela tivesse entrado bastante na floresta, virando aqui e ali entre as árvores e olhando através dos arbustos na tentativa de encontrar alguma trilha escondida.

— Acho que é melhor voltarmos — sugeriu a Galinha Amarela depois de um tempo. — O pessoal já deve ter acordado e o café da manhã já deve estar pronto.

— Muito bem — concordou Dorothy. — Vamos ver, o caminho para o acampamento deve ser por aqui.

Ela provavelmente cometeu um erro nesse sentido, pois eles já tinham andado o suficiente para estar de volta ao acampamento e mesmo assim ainda estavam dentro da floresta densa. A garotinha então parou de repente e olhou em volta, e Totó levantou o rosto com seus olhinhos brilhantes e abanou o rabo como se soubesse que algo estava errado. Ele não sabia dizer muita coisa sobre a direção, pois passara o tempo todo vagando e procurando entre os arbustos e correndo aqui e ali; Billina também não prestara muita atenção no caminho, pois estava interessada em encontrar insetos no musgo enquanto passavam por ele. A Galinha Amarela olhou para a garotinha e perguntou:

— Você se esqueceu onde o acampamento está, Dorothy?

— Sim — admitiu ela. — Você também, Billina?

— Eu não tentei me lembrar — respondeu Billina. — Eu não esperava que você se perdesse, Dorothy.

— Aquilo que não esperamos, Billina, é o que normalmente acontece — observou a garota, pensativa. — Mas não adianta ficarmos aqui. Vamos naquela direção — apontou ela para um lado qualquer. — Talvez a gente consiga sair da floresta se formos por ali.

Eles então seguiram naquela direção, mas lá as árvores estavam mais juntas, e as vinhas estavam tão enroladas que Dorothy tropeçava o tempo todo.

De repente uma voz forte gritou:

— Alto lá!

Primeiro Dorothy não conseguia ver nada, embora olhasse em volta com bastante cuidado. Mas Billina exclamou:

— Essa, agora!

— O que foi? — perguntou a garotinha, pois Totó latia para alguma coisa.

Seguindo seu olhar ela descobriu o que era.

Uma fileira de colheres cercava os três, e essas colheres estavam em pé apoiadas em seus cabos e carregavam espadas e mosquetes. Seus rostos estavam desenhados na parte côncava e eram bastante severos.

Dorothy riu para as criaturas estranhas.

— Quem são vocês? — perguntou ela.

— Somos a Brigada das Colheres — disse um deles.

— Estamos a serviço de sua Majestade, o Rei Cutelo — disse um outro.

— E vocês são nossos prisioneiros — disse um terceiro.

Dorothy sentou-se em um velho toco e olhou para eles, com os olhos brilhando, impressionada.

— O que aconteceria — perguntou ela — se eu pedisse para meu cachorro atacar a Brigada de vocês?

— Ele morreria — respondeu uma das colheres, bruscamente. — Um tiro de nossos mosquetes mortais o mataria, mesmo ele sendo grande.

— Não arrisque, Dorothy — aconselhou a Galinha Amarela. — Lembre-se que esta é uma terra encantada, mas nenhum de nós três somos encantados.

Dorothy começou a ficar séria.

— Talvez você esteja certa, Billina — respondeu ela. — Mas é engraçado sermos capturados por um bando de colheres!

— Não vejo nada engraçado nisso — declarou uma colher. — Somos a brigada militar do reino.

— De que reino? — perguntou ela.

— Utensia — disse ele.

— Nunca ouvi falar sobre esse reino — observou Dorothy. E então ela acrescentou, pensativa —, não acho que Ozma já tenha ouvido falar de Utensia. Diga-me, vocês não são súditos de Ozma de Oz?

— Nunca ouvimos falar dela — respondeu uma colher. — Somos súditos do Rei Cutelo, e obedecemos apenas às ordens dele, e suas ordens são levarmos todos os prisioneiros para ele assim que forem capturados. Então rápido, garota, marche conosco ou nos sentiremos tentados a cortar alguns de seus dedos com nossas espadas.

Essa ameaça fez Dorothy rir novamente. Ela não acreditava que estava em perigo, mas ali estava uma nova e interessante aventura e por isso ela queria ser levada a Utensia para ver como era o reino do Rei Cutelo.

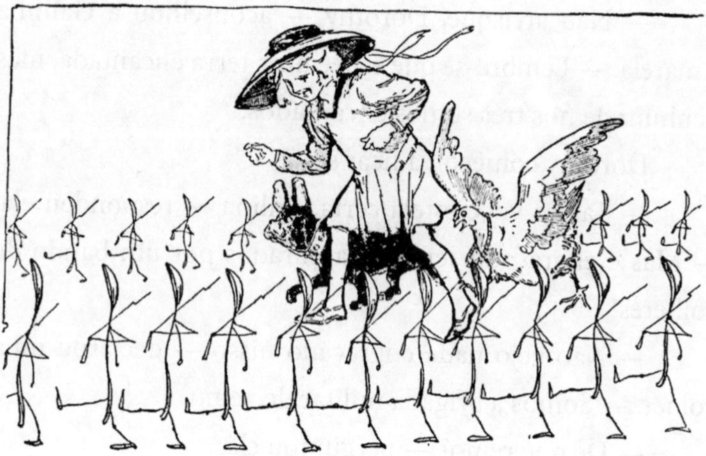

CAPÍTULO 16
QUANDO DOROTHY VISITOU UTENSIA

Devia haver de seis a oito dúzias de colheres na Brigada, e todas marchavam formando um quadrado, com Dorothy, Billina e Totó no meio. Antes que tivessem andado muito Totó atingiu uma das colheres com seu rabo e a Capitã das colheres disse ao cachorrinho para ter mais cuidado, caso contrário seria punido. Totó então tomou cuidado e a Brigada de Colheres se moveu rapidamente, enquanto Dorothy de fato precisou andar rápido para conseguir acompanhá-las.

Aos poucos eles foram deixando a floresta e entraram em uma grande clareira, onde ficava o Reino de Utensia.

Em volta da clareira havia um bom número de fornos, fogões e churrasqueiras de todos os tamanhos e formatos e, além disso, havia vários armários de cozinha e algumas mesas. Todas essas coisas estavam amontoadas com utensílios de todos os tipos: frigideiras, panelas, caldeirões, garfos, facas, pincéis e colheres de sopa, raladores de noz-moscada, peneiras, facas para carnes, ferros e muitos outros utensílios desses tipos.

Quando a Brigada de Colheres apareceu com os prisioneiros, um grande grito foi ouvido e os vários utensílios pularam de seus fogões ou bancos e correram cercando Dorothy, a galinha e Totó.

— Afastem-se! — gritou o Capitão, sério, e conduziu seus prisioneiros através da multidão de curiosos até chegarem a uma grande cordilheira que ficava no centro dessa clareira. Ao lado da cordilheira havia uma mesa de carnes e sobre ela um cutelo com a lâmina afiada. Ele estava deitado sobre a parte reta de suas costas, suas pernas estavam cruzadas e ele fumava um longo cachimbo.

— Acorde, sua Majestade — disse o Capitão. — Aqui estão os prisioneiros.

Ao ouvir isso o Rei Cutelo sentou-se e olhou para Dorothy de maneira ríspida.

— Gorda e cheia de carne — exclamou ele. — De onde veio essa garota?

— Eu a encontrei na floresta e a trouxe aqui como prisioneira — respondeu o Capitão.

— Por que você fez isso? — perguntou o Rei, assoprando seu cachimbo preguiçosamente.

— Para dar uma animada — respondeu o Capitão. — Está tão quieto aqui que estamos todos enferrujando e precisando de agitação. De minha parte, eu gosto da agitação.

— Naturalmente — respondeu o cutelo, com um aceno. — Eu sempre disse, Capitão, sem um pingo de ironia, que você é um oficial autêntico e um ótimo cidadão, boleado e polido até certo ponto. Mas o que você espera que eu faça com esses prisioneiros?

— Isso é você quem decide — declarou o Capitão. — Você é o Rei.

— Certamente, certamente — murmurou o cutelo, pensativo. — Como você disse, temos tido uma calmaria desde que o afiador e a pedra para afiar fugiram e nos abandonaram. Chame meus Conselheiros e os Cortesãos Reais para virem me ajudar, assim como o Alto Padre e o Juiz. Juntos vamos decidir o que pode ser feito.

O Capitão fez uma saudação e se retirou. Dorothy sentou-se em um caldeirão que estava virado de cabeça para baixo e perguntou:

— Vocês têm alguma coisa para se comer nesse reino?

— Ei! Levante-se! Saia de cima de mim! — gritou uma voz fraca e ao ouvir isso sua Majestade, o cutelo disse:

— Com licença, mas você está sentada na minha amiga, a Chaleira de Dez Litros.

Dorothy levantou-se rapidamente e a chaleira desvirou-se e olhou para ela com ar reprovador.

— Sou amiga do Rei e por isso ninguém se atreve a sentar em mim — disse ela.

— Eu preferia sentar em uma cadeira mesmo — respondeu a menina.

— Sente-se naquela lareira — ordenou o Rei.

Dorothy sentou-se então na beirada da lareira que tinha uma grande chaminé e os súditos de Utensia começaram a se juntar em volta dela formando uma multidão enorme e questionadora. Totó estava deitado aos pés de Dorothy e Billina voou pela chaminé, que não estava acesa, e empoleirou-se lá da maneira mais confortável que conseguiu.

Quando todos os Conselheiros e Cortesãos estavam reunidos – e isso parecia incluir a maioria dos habitantes do reino – o Rei bateu na mesa de carnes pedindo ordem e disse:

— Amigos e Camaradas utensianos! Nosso leal comandante da Brigada das Colheres, o Capitão Bob, capturou os três prisioneiros que vocês estão vendo bem na sua frente e os trouxe aqui para... para... eu não sei para quê. Então, peço o conselho de vocês sobre como agir nessa questão, e que destino devo dar para nossos prisioneiros. Juiz Peneira, fique à minha direita. É sua responsabilidade peneirar todos os aspectos. Alto Padre Coador, fique à minha esquerda e certifique-se de que ninguém dê um falso testemunho ao tratar dessa questão.

Quando esses dois oficiais assumiram seus lugares, Dorothy perguntou:

— Por que o coador é o Alto Padre?

— Ele é a criatura mais cheia de furos que temos no reino — respondeu o Rei Cutelo.

— Com exceção de mim — disse uma peneira. — Quando se fala em furos, eu gabarito.

— O que precisamos — observou o Rei, em tom de censura — é de uma peneira com filtro. Vou falar com o Marconi sobre isso. Essas peneiras antigas falam demais. Agora, é responsabilidade dos Conselheiros do Rei aconselharem o Rei sempre que aparece uma emergência, por isso imploro para que vocês falem e me aconselhem sobre o que fazer com esses prisioneiros.

— Exijo que eles sejam mortos várias vezes, até estarem mortos! — gritou um pimenteiro, pulando bastante animado.

— Comporte-se, senhor Páprica — advertiu o Rei. — Seus comentários são picantes e altamente sugestionados, mas você precisa de um pouco de bom senso. Só é necessário matar uma pessoa uma vez, para que ela seja morta, mas não acho que seja necessário matar essa garotinha.

— Eu também não — disse Dorothy.

— Perdão, mas você não deve me dar conselhos sobre esse assunto — respondeu o Rei Cutelo.

— Por que não? — perguntou Dorothy.

— Você pode dar uma ideia a seu favor e então nos atrapalhar — disse ele. — Então, bons súditos, quem fala agora?

— Eu gostaria de suavizar essa situação de alguma maneira — disse o ferro de passar roupas, com seriedade. — Devemos ser úteis à humanidade, entende?

— Mas a garota não é a humanidade! Ela é uma mulher! — gritou um saca-rolhas.

— O que você sabe sobre isso? — pergunto o Rei.

— Sou advogado — disse o saca-rolhas, orgulhoso. — Estou acostumado a ouvir pedidos nos bares.

— Mas você é torcido — respondeu o Rei — e isso o impede de fazer qualquer coisa. Você pode ser um advogado muito bom, senhor Popp, mas preciso pedir para que o senhor retire seu comentário.

— Muito bem — disse o saca-rolhas, com tristeza. — Vejo que não existe nenhum apreciador de rolhas nessa corte.

— Permita-me — continuou o ferro de passar roupas — pressionar meu pedido, sua Majestade. Não desejo encobrir nenhuma falta que a prisioneira possa ter cometido, se tal falta existir, mas devemos alguma consideração a ela, e isso é fato!

— Gostaria de ouvir o que pensa o Príncipe Trinchante — disse o Rei.

Com isso uma faca grande deu um passo à frente e fez uma reverência.

— O Capitão errou ao trazer essa garota para cá, e ela errou em vir — disse ele. Mas agora que a besteira está feita, vamos mostrar do que somos capazes e vamos nos divertir.

— É isso! É isso! — gritou uma faca gorda. — Faremos picadinho da garota e do frango e salsicha do cachorro!

Houve um grito de aprovação ao ouvirem isso e o Rei precisou bater na mesa novamente pedindo ordem.

— Senhores, senhores! — disse ele. — Suas observações são um tanto afiadas e bastante desarticuladas, como é de se esperar de intelectos tão penetrantes. Mas vocês não têm nenhum motivo para fazer isso.

— Veja bem, Cutelo, você me cansa — disse uma frigideira, aproximando-se do Rei de maneira bastante imprudente. — Você é praticamente o pior Rei que já reinou em Utensia, e isso significa muita coisa. Por que você não faz as coisas por si mesmo, em vez de pedir o conselho de todo mundo, como um grande e desastrado idiota que você é?

O Rei suspirou.

— Queria que não tivesse uma frigideira no meu reino — disse ele. — Vocês estão sempre estufadas quando falam sobre alguma coisa, e vez ou outra vocês entornam o caldo e fazem uma confusão. Vá se pendurar, senhora – pelo cabo – e não me faça ouvir mais nenhuma palavra vinda de você.

Dorothy estava bastante chocada com a terrível linguagem usada pelos utensílios, e pensou que eles devem ter recebido muito pouca educação. Então ela disse para o Rei, que parecia não ser apropriado para governar esses súditos turbulentos:

— Gostaria que você se decidisse sobre o meu destino logo. Não posso ficar o dia todo aqui, tentando descobrir o que vocês vão fazer comigo.

— Essa batata está assando, e é hora de eu tomar partido nisso — observou uma grande grelha, chegando para a frente.

— O que eu gostaria de saber — disse um abridor de latas, com a voz esganiçada — é porque a garota veio até a nossa floresta, e porque ela se meteu com o Capitão Bob – que deveria ser chamado de Bobo – e quem ela é, e de onde ela vem, e para aonde ela está indo, e por que, e onde, depois quando.

— Sinto muito ver, Senhor Tagarela — observou o Rei ao abridor de latas — que o senhor tem tanta curiosidade. Só para constar, tudo o que o senhor mencionou não é da sua conta.

Depois de dizer isso, o Rei reacendeu o seu cachimbo, que apagara.

— Diga-me, por favor, o que é da nossa conta? — perguntou o espremedor de batatas, piscando para Dorothy de maneira um tanto impertinente. — Eu gosto de garotinhas, e me parece que ela tem tanto direito de vagar pela floresta quanto nós.

— Quem está acusando a garotinha? — perguntou um rolo de massa. — O que foi que ela fez?

— Eu não sei — disse o Rei. — O que foi que ela fez, Capitão Bob?

— Essa é a questão, sua Majestade. Ela não fez nada — respondeu o Capitão.

— O que vocês querem que eu faça? — perguntou Dorothy.

Essa questão pareceu intrigar a todos. Finalmente uma caçarola exclamou, irritada:

— Se ninguém é capaz de esclarecer esse assunto, com licença, mas vou me retirar.

Ao ouvir isso um grande garfo de cozinha levantou e disse:

— Vamos ouvir o Juiz Peneira.

— Tem razão — respondeu o Rei.

Então, o Juiz Peneira girou devagar várias vezes e disse:

— Não temos nada contra a garota além do fato de ela estar sentada na beirada da nossa lareira. Por isso, ordeno que ela seja dispensada.

— Dispensada! — exclamou Dorothy. — Ora, nunca fui dispensada em minha vida e não pretendo ser. Se para vocês tanto faz, eu renuncio.

— Tanto faz — declarou o Rei. — Você está livre, você e seus companheiros, e podem ir para onde quiserem.

— Obrigada — disse a garotinha. — Mas vocês não têm nada para comer nesse reino? Estou com fome.

— Vá até a floresta e apanhe mirtilos — aconselhou o Rei, deitando-se de costas novamente e preparando-se para dormir. — Até onde eu sei não existe nada para se comer em toda a Utensia.

Dorothy então levantou-se com um pulo e disse:

— Vamos, Totó e Billina. Se não conseguirmos encontrar o acampamento, pelo menos encontraremos mirtilos.

Os utensílios se afastaram e permitiram que eles passassem sem protestar, embora o Capitão Bob tenha feito sua Brigada de Colheres marchar perto deles até que eles chegassem nos limites da clareira.

Ali as colheres pararam, mas Dorothy e seus companheiros entraram na floresta novamente e começaram a pensar em uma maneira de voltar ao acampamento para se juntarem a seu grupo.

CAPÍTULO 17
QUANDO ELES CHEGARAM A BUNBURY

Vagar pela floresta sem saber para onde ir ou qual será a próxima aventura em que você vai embarcar pode não ser tão prazeroso quanto se pensa. As florestas são sempre lindas e impressionantes, e, se você não estiver preocupado ou com fome, talvez você se divirta bastante no passeio. Porém, naquela manhã Dorothy estava preocupada e com fome, por isso ela não prestou muita atenção nas belezas da floresta e caminhou o mais rápido que conseguiu. Tentou manter uma direção e não andar em círculos, mas ela não tinha certeza se a direção que escolhera a levaria para o acampamento.

Passado algum tempo, para sua grande alegria, ela encontrou um caminho. Ele ia para a direita e para a esquerda, perdendo-se entre as árvores em ambas as direções, e bem em frente a ela, sobre um grande carvalho, estavam presas duas placas, com dedos apontando para as duas direções. Em uma placa lia-se:

> **PARA BUNBURY PEGUE A OUTRA ESTRADA**

E na segunda placa, lia-se:

> **PARA BUNNYBURY PEGUE A OUTRA ESTRADA**

— Bem — exclamou Billina, olhando para as placas —, parece que estamos voltando para a civilização.

— Não tenho tanta certeza sobre a civilização, querida — respondeu a garotinha —, mas parece que vamos chegar a *algum lugar*, e isso é um grande alívio.

— E que caminho devemos seguir? — perguntou a Galinha Amarela.

Dorothy ficou olhando para as placas, pensativa.

— Bunbury parece nome de comida — disse ela. — Vamos para lá.

— Para mim tanto faz — respondeu Billina.

Ela tinha encontrado insetos suficiente nos musgos e já não estava mais com fome, mas sabia que Dorothy não podia comer insetos; nem Totó.

O caminho para Bunbury pareceu ser pouco usado, mas era visível o suficiente e passava entre árvores em zigue-zague até finalmente chegar a um espaço aberto, repleto das casas mais estranhas que Dorothy já vira. Eram todas feitas de bolachas, arrumadas em minúsculos quadrados, e eram de vários formatos lindos e enfeitados, com varandas que tinham postes de baguetes e tetos de biscoitos.

As calçadas eram feitas de cascas de pão e levavam de uma casa a outra formando ruas, e o lugar parecia ter muitos habitantes.

Quando Dorothy, seguida por Billina e Totó, entrou no lugar, viram pessoas andando nas ruas ou reunidas em grupos conversando, ou sentadas em suas varandas.

E que pessoas engraçadas eram aquelas!

Homens, mulheres e crianças, todos feitos de pães e bolos. Alguns eram magros e outros gordos; alguns brancos, outros um pouco marrom e alguns bastante escuros. Alguns dos bolos, que pareciam ser a classe mais importante de pessoas, tinham coberturas. Alguns tinham os olhos formados por uvas-passas e botões de passas em suas roupas; outros tinham olhos feitos de cravos-da-índia e suas pernas eram pauzinhos de canela, e muitos usavam chapéus e toucas cor-de-rosa e verdes.

Houve um tipo de comoção em Bunbury quando os forasteiros apareceram entre eles. As mulheres pegaram suas crianças e correram para dentro de suas casas, fechando as portas de bolacha com cuidado. Alguns homens correram tão apressados que tropeçaram uns nos outros, enquanto outros, mais corajosos, reuniram-se em um grupo e ficaram encarando os intrusos com ar desafiador.

Dorothy rapidamente percebeu que precisava agir com cautela para não assustar aquelas pessoas tímidas, que evidentemente não estavam acostumadas com a presença de forasteiros. Havia um agradável odor de pão fresco na cidade, e isso deixava a garota com mais fome ainda. Ela disse a Totó e Billina para ficarem para trás enquanto ela avançava devagar na direção do grupo que estava parado em silêncio, esperando por ela.

— Gostaria de pedir desculpas por termos chegado de maneira inesperada — disse ela, com a voz doce —, mas eu realmente não sabia que estava vindo para cá até chegar aqui. Eu me perdi na floresta, sabe, e estou morrendo de fome.

— Fome! — eles murmuraram em um tom aterrorizado.

— Sim, não como nada desde ontem à noite — explicou ela. — Vocês têm alguma comida, aqui em Bunbury?

Eles olharam uns para os outros indecisos, e então um homem-pão corpulento, que parecia uma pessoa importante, deu um passo à frente e disse:

— Garotinha, para ser honesto com você, somos todos comestíveis. Tudo em Bunbury é comestível para criaturas humanas esfomeadas como você. Mas é para não sermos comidos e destruídos que nos escondemos neste lugar, e não é certo nem justo você vir até aqui para se alimentar.

Dorothy olhou para ele com desejo.

— Você é um pão, não é? — perguntou ela.

— Sim, sou pão e manteiga. A manteiga está dentro de mim, por isso ela não vai derreter e sair correndo. Quem corre sou eu mesmo.

Com essa piada todos os outros caíram na gargalhada, e Dorothy achou que eles não podiam estar com medo se estavam rindo daquela maneira.

— Eu não poderia comer alguma coisa que não seja uma pessoa? — perguntou ela. — Não posso comer só uma casa, ou uma calçada, ou algo assim? Não me importa muito o que seja, sabe.

— Isso aqui não é uma padaria pública, criança — respondeu o homem, com seriedade. — É propriedade particular.

— Eu sei senhor... senhor...

— Meu nome é Exmo. C. Bunn — disse o homem. — C. é Canela, e esse lugar tem o nome da minha família, que é a mais aristocrática da cidade.

— Ah, eu não sabia disso — discordou uma outra pessoa estranha. — Os Grahams, os Browns e os Whites são todas excelentes famílias, e não são melhores umas do que as outras. Eu mesmo sou um Boston Brown.

— Admito que vocês são todos cidadãos desejáveis — disse o senhor Bunn, bastante inflexível. — Mas é fato que a cidade tem o nome de Bunbury.

— Com licença — interrompeu Dorothy —, mas estou ficando cada vez com mais fome. Se você é um homem gentil e educado, como tenho certeza de que é, você vai me deixar comer *alguma coisa*. Tem tanta coisa para comer aqui, que você nunca vai nem sentir falta.

Então um homem grande e inchado, de um tom marrom delicado, deu um passo à frente e disse:

— Acho que seria uma pena mandar essa criança embora com tanta fome, principalmente se ela aceita comer qualquer coisa que lhe oferecermos e prometer não tocar nas pessoas.

— Também acho, Pop — respondeu um pãozinho que estava ali perto.

— E o que, então, você sugere, sr. Over? — perguntou o sr. Bunn.

— Bom, vamos deixar que ela coma a minha cerca dos fundos, se ela quiser. É feita de waffles crocantes e gostosos.

— Ela também pode comer meu carrinho de mão — acrescentou um bolinho de olhar agradável. — Ele é feito de bolacha e suas rodas são balas e guloseimas.

— Muito bem, muito bem — observou o sr. Bunn. — Isso é muito gentil da parte de vocês. Vá com o Pop Over e o sr. Muffin, garotinha, e eles lhe darão o que comer.

— Muito obrigada — disse Dorothy, agradecida. — Posso levar meu cachorro e a Galinha Amarela comigo? Eles também estão com fome.

— Eles vão se comportar? — perguntou o bolinho.

— Claro que sim — prometeu Dorothy.

— Então, eles podem vir — disse Pop Over.

Assim, Dorothy, Billina e Totó andaram pela rua e as pessoas pareceram não mais ter medo deles. Chegaram primeiro na casa do sr. Muffin e seu carrinho de mão estava no jardim da frente e foi a primeira coisa que a garota comeu. Não parecia estar muito fresco, mas ela estava com tanta fome que não se incomodou com isso. Totó comeu um pouco também, enquanto Billina pegava os farelos.

Enquanto os forasteiros estavam ocupados comendo, muitas das pessoas vieram e ficaram paradas na rua olhando curiosas para eles. Dorothy percebeu seis brincalhões que pareciam ser crianças em uma fila e perguntou:

— Quem são vocês, pequenos?

— Somos as Gemas Graham— respondeu um deles. — E somos todos gêmeos.

— Imagino que sua mãe poderia ficar sem um ou dois de vocês, não? — perguntou Billina, vendo que estavam frescos; mas ao ouvir essa pergunta perigosa as seis pequenas gemas saíram correndo o mais rápido que conseguiram.

— Você não pode falar coisas assim, Billina — disse Dorothy, com ar reprovador. — Agora, vamos até o jardim dos fundos do Pop Over para comer alguns waffles.

— Eu meio que odeio me desapegar da cerca — observou o sr. Over, nervoso, enquanto caminhavam na direção de sua casa. — Os vizinhos do fundo são Biscoitos de Refrigerante e não quero me misturar com eles.

— Mas ainda estou com fome — declarou a garota. — O carrinho de mão não era muito grande.

— Tenho um piano feito de bolo, mas ninguém da minha família sabe tocar piano — disse ele, pensativo. — E se você comesse isso?

— Tudo bem — disse Dorothy. — Eu não me importo. Como qualquer coisa.

O Sr. Over conduziu-a até sua casa, então, onde ela comeu o piano, que tinha um sabor delicioso.

— Tem alguma coisa para beber por aqui? — perguntou ela.

— Sim, tenho uma bomba de leite e uma bomba de água; o que você prefere? — perguntou ele.

— Acho que vou querer os dois — disse Dorothy.

Ao ouvir isso o sr. Over chamou sua esposa, que trouxe para o quintal um balde feito com algum tipo de massa assada e Dorothy bombeou um balde cheio de leite fresco e doce e bebeu tudo com vontade.

A esposa de Pop Over era mais escura que o marido.

— Você não passou do ponto? — perguntou a garotinha.

— Na verdade, não — respondeu a mulher. — Não passei do ponto nem cheguei ao ponto ainda. Sou apenas a senhora Over, e sou a Presidente da Banda de Café da Manhã de Bunbury.

Dorothy agradeceu a eles pela hospitalidade e foi embora. No portão o sr. Canela Bunn a encontrou e disse que lhe mostraria a cidade.

— Temos habitantes muito interessantes — observou ele, andando rapidamente ao lado dela com suas pernas de canela. — E todos nós temos boa saúde e fomos bem produzidos. Se você não estiver mais com fome, vamos chamar alguns dos mais importantes cidadãos.

Totó e Billina os seguiram, comportando-se bem, e um pouco mais para a frente na rua eles chegaram a uma linda residência onde morava a tia Sally Lunn. A velha senhora ficou feliz em conhecer a garotinha e deu a ela um pedaço de pão branco com manteiga que ela usava como capacho. Ele estava praticamente fresco e tinha o sabor mais gostoso que Dorothy experimentara naquela cidade.

— Onde vocês conseguem a manteiga? — perguntou ela.

— Nós a cavamos no chão, que, como você deve ter observado, é todo feito de farinha — respondeu o sr. Bunn.

— Existe uma mina de manteiga do outro lado da vila. As árvores que você vê aqui são todas feitas de massas de pão, e na época da colheita conseguimos tirar bons pãezinhos delas.

— Eu pensaria que a farinha voaria e entraria nos olhos de vocês — disse Dorothy.

— Não — disse ele —, nós nos incomodamos com o pó das bolachas às vezes, mas nunca com a farinha.

Ele então levou-a para conhecer Johnny Cake, um senhor bastante alegre que morava por ali.

— Acho que você já deve ter ouvido falar de mim — disse Johnny, com um ar orgulhoso. — Sou um dos mais queridos no mundo.

— O senhor não é um tanto amarelo? — perguntou Dorothy, olhando para ele de maneira crítica.

— Talvez, criança. Mas não pense que é por causa da bile, pois nunca estive tão saudável em toda a minha vida — respondeu o velho cavalheiro. — Se eu me sentisse doente eu sera o primeiro a avisar o milho.

— Johnny é um pouco velho — disse o sr. Bunn enquanto se afastavam —, mas sabe misturar as coisas e nunca se engana. Agora vou levar você para conhecer alguns dos meus parentes.

Eles visitaram as Bunns de Açúcar, as Bunns de Groselhas e as Bunns Espanholas, sendo que as últimas tinham realmente uma aparência estrangeira. Depois visitaram os Pães Francês, que foram muito educados, e fizeram uma breve visita ao Parker H. Rolls, que parecia um pouco orgulhoso e arrogante.

— Mas eles não são tão arrogantes quanto os Frosted Jumbles — declarou o sr. Bunn —, que são pessoas que eu realmente não suporto. Não quero levantar suspeitas nem causar um escândalo, mas às vezes acho que os Jumbles colocam muito fermento neles.

Neste momento um grito terrível foi ouvido e Dorothy virou-se rapidamente a tempo de ver uma cena de bastante agitação um pouco mais adiante na rua. As pessoas se juntavam em volta de Totó e jogavam nele tudo o que tinham à mão. Atiraram no cachorrinho tachinhas, bolachas e até mesmo mobília duras e pesadas, capazes de derrubar mísseis.

Totó uivou um pouco quando aquela variedade de itens para serem assados lhe atingiu, mas ficou parado, com a cabeça abaixada e o rabo entre as pernas, até que Dorothy correu para perto dele e perguntou o que estava acontecendo.

— O que está acontecendo! — gritou um pão de centeio, indignado. — Essa besta horrorosa comeu três dos nossos queridos Bolinhos, e agora está devorando um Biscoito Salgado!

— Ah, Totó! Como você foi fazer isso? — perguntou Dorothy, bastante chateada.

A boca de Totó estava cheia de biscoito salgado e por isso ele apenas choramingou e balançou seu rabo. Mas Billina, que voara para o topo de uma casa de bolacha para ficar em um lugar seguro, gritou:

— Não o culpe, Dorothy; os Bolinhos o desafiaram a fazer isso.

— Sim, e você bicou os olhos de um Bunn de Passas, um de nossos melhores cidadãos! — gritou um pudim de pão, que tremia seu braço na direção da Galinha Amarela.

— O que é isso! O que é isso? — lamentou o sr. Canela Bunn, que agora se juntara a eles. — Ah, que azar, mas que terrível azar.

— Veja bem — disse Dorothy, determinada a defender seus animais —, acho que tratamos vocês muito bem, se considerarmos que vocês são comestíveis, que são comidas para nós. Fui gentil com vocês, e comi um carrinho de mão velho, um piano e algumas porcarias, e não reclamei de nada. Mas Totó e Billina não conseguem ficar com fome quando a cidade está cheia de coisas que eles gostam de comer, porque eles não entendem que vocês têm vida, como eu entendo.

— Vocês precisam ir embora, imediatamente! — disse o sr. Bunn, com seriedade.

— E se não formos? — perguntou Dorothy, que agora se sentia muito desafiada.

— Então — disse ele — colocaremos vocês em nossos grandes fornos onde somos criados, e assaremos vocês.

Dorothy olhou ao redor e viu olhares ameaçadores vindo de todos os rostos. Ela não tinha visto nenhum forno na cidade, mas eles deviam existir, afinal, alguns dos habitantes do lugar pareciam ser bem frescos. Por isso ela decidiu partir, e, depois de chamar Totó e Billina, saiu marchando pela rua com a maior dignidade que conseguiu, considerando que estava sendo seguida pelos xingamentos e gritos dos pães, biscoitos e outros tipos de comida.

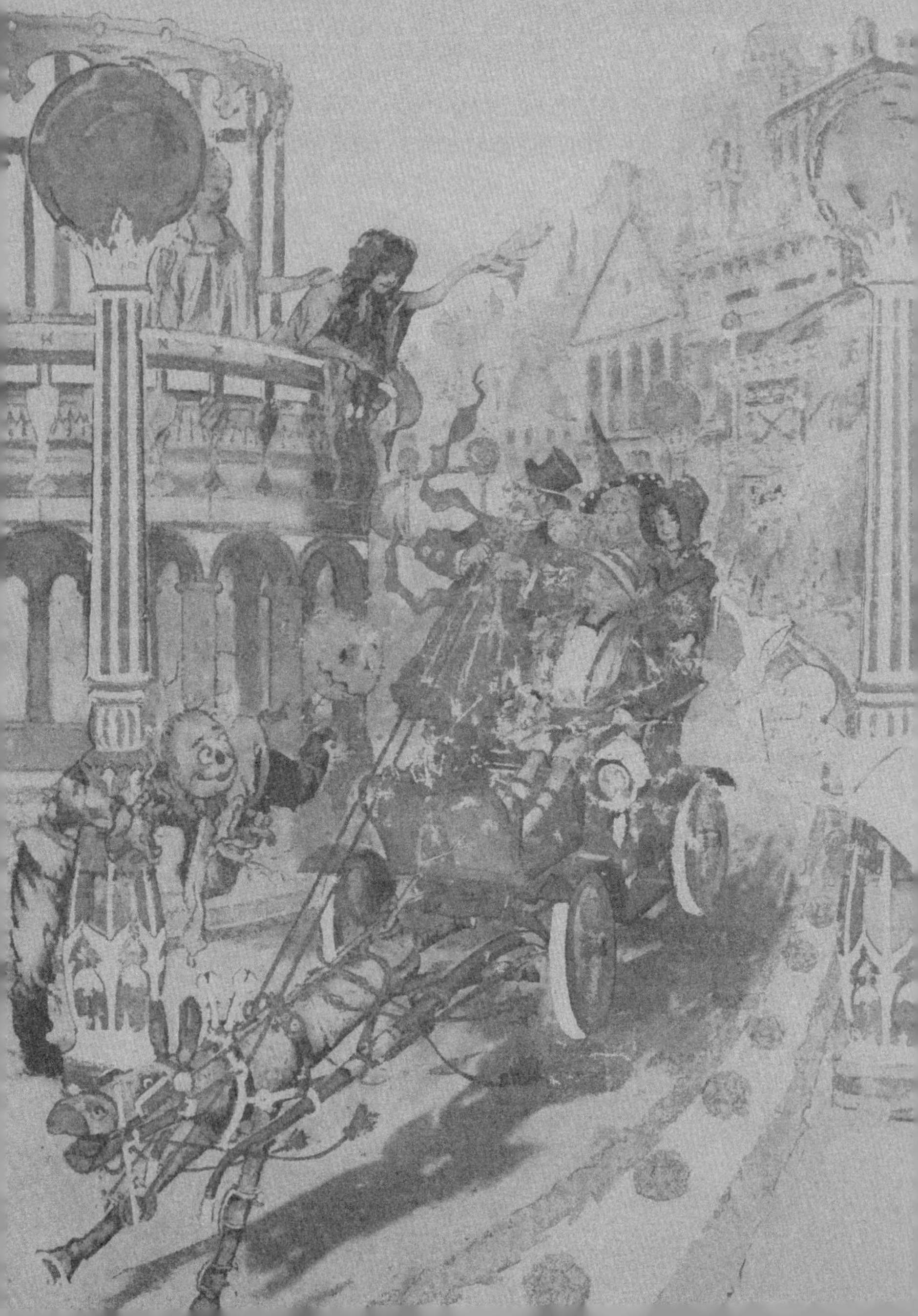

CAPÍTULO 18
QUANDO OZMA OLHOU
NO QUADRO MÁGICO

A Princesa Ozma era uma pequena governante bastante ocupada, pois cuidava com esmero do conforto e bem-estar de seu povo e tentava deixá-los felizes. Se alguma discussão acontecia, ela resolvia a situação de maneira justa; se alguém precisasse de um conselho, ela estava sempre pronta para ouvir.

Por um ou dois dias depois de Dorothy e seus companheiros terem iniciado sua viagem, Ozma estava atarefada com os assuntos de seu reino. Depois ela começou a pensar em alguma maneira de dar uma ocupação para o tio Henry e a tia Em que fosse leve e fácil, mas que mantivesse os dois idosos ocupados.

Rapidamente ela decidiu nomear o tio Henry o Vigia das Joias, pois realmente era necessário ter alguém para contar e vigiar as caixas e caixotes de esmeraldas, diamantes, rubis e outras pedras preciosas que ficavam nos Depósitos Reais. Isso faria com que o tio Henry ficasse ocupado, mas foi mais difícil pensar em algo que tia Em pudesse desempenhar. O palácio era repleto de serviçais e por isso não havia nenhum serviço de casa que tia Em pudesse fazer.

Enquanto Ozma estava sentada em seu lindo quarto envolvida em pensamentos, ela olhou para seu Quadro Mágico.

Aquele era um dos tesouros mais importantes de toda a Terra de Oz. Era um quadro grande, com uma linda moldura e ficava pendurado em um lugar de destaque na parede do quarto de Ozma.

Normalmente esse quadro parecia mostrar apenas uma imagem do campo, mas sempre que Ozma olhava para ele e desejava saber o que qualquer um de seus amigos ou conhecidos estava fazendo, a magia deste maravilhoso quadro se revelava. A imagem do campo desaparecia e em seu lugar era vista a pessoa ou as pessoas que Ozma desejava ver, rodeadas pela verdadeira paisagem em que se encontravam. Assim a Princesa podia ver qualquer parte do mundo que desejasse, e podia observar as ações de quem quer que lhe interessasse.

Ozma sempre via Dorothy em sua casa no Kansas através daquele quadro, e agora, com um pouco de tempo livre, ela desejou ver sua amiguinha novamente. Foi quando os viajantes estavam em Fuddlecumjig, e Ozma riu ao ver em seu quadro seus amigos tentando montar as peças da Vovó Gnit.

— Eles parecem felizes e sem dúvida estão se divertindo — disse a garota Governante para si mesma; e então começou a pensar nas muitas aventuras que ela mesma vivera com Dorothy.

A imagem de seus amigos agora desvaneceu do Quadro Mágico e apenas a velha paisagem reapareceu devagar.

Ozma estava pensando na época em que marchou até a caverna subterrânea do Rei Nomo com Dorothy e seu exército, além da Terra de Ev, e forçou o velho monarca a libertar seus prisioneiros, que pertenciam à Família Real de Ev. Foi dessa vez que o Espantalho quase matou o Rei Nomo de medo ao jogar nele um dos ovos de Billina, e Dorothy roubou o Cinto Mágico do Rei Roquat e levou-o com ela para a Terra de Oz.

A linda Princesa sorriu ao se lembrar dessa aventura, e então ficou imaginando o que acontecera com o Rei Nomo desde então. Simplesmente por estar curiosa e não ter nada melhor para fazer, Ozma olhou para seu Quadro Mágico e desejou ver nele o Rei dos Nomos.

Roquat, o Vermelho, ia todos os dias até o seu túnel para ver como o trabalho estava caminhando e para apressar os trabalhadores o mais que pudesse. Ele estava lá agora, e Ozma o viu claramente no Quadro Mágico.

Ela viu o túnel subterrâneo, atravessando o Deserto Mortal que separava a Terra de Oz das montanhas sob as quais o Rei Nomo tinha suas extensas cavernas. Ela viu que o túnel estava sendo construído na direção da Cidade das

Esmeraldas, e soube logo que estava sendo cavado para que o exército dos Nomos pudesse marchar por ele e atacar seu país lindo e tranquilo.

— Acho que o Rei Roquat está planejando uma vingança contra nós — disse ela, pensativa. — E ele acha que consegue nos surpreender e nos tornar seus prisioneiros e escravos. Como é triste alguém ter pensamentos tão ruins! Mas não posso culpar o Rei Roquat por isso, pois ele é um Nomo, e sua natureza não é boa como a minha.

Ela então parou de pensar no túnel por aquele momento, e começou a imaginar se a tia Em não ficaria feliz em ser a Consertadora Real de Meias da Governante de Oz. Ozma tinha poucos furos em suas meias, mas, ainda assim, elas às vezes precisavam ser consertadas. A tia Em devia ser capaz de fazer aquilo muito bem.

No dia seguinte a Princesa observou o túnel de novo em seu Quadro Mágico e todos os dias depois daquele ela dedicava alguns minutos de seu dia para inspecionar o trabalho. Não era nada especialmente interessante, mas ela achou que era sua obrigação fazer aquilo.

Devagar, mas com persistência, o grande buraco ia atravessando as rochas embaixo do deserto mortal e, dia após dia, chegava cada vez mais perto da Cidade das Esmeraldas.

CAPÍTULO 19
QUANDO BUNNYBURY ACOLHEU OS FORASTEIROS

Dorothy saiu de Bunbury da mesma maneira como entrou e quando estavam na floresta novamente ela disse para Billina:

— Nunca pensei que coisas boas de se comer podiam ser tão desagradáveis.

— Eu sempre comi coisas gostosas, mas que ficaram desagradáveis depois — respondeu a Galinha Amarela. — Acho, Dorothy, que se as coisas comestíveis vão se comportar mal, é melhor que elas façam isso antes do que depois de você comê-las.

— Talvez você tenha razão — disse a garotinha, com um suspiro. — Mas o que fazemos agora?

— Vamos seguir o caminho de volta até a placa — sugeriu Billina. — Vai ser melhor fazer isso do que nos perdermos de novo.

— Ora, mas já estamos perdidos de qualquer maneira — declarou Dorothy. — Mas acho que você está certa sobre voltar até a placa, Billina.

Eles voltaram pelo caminho até o lugar onde viram a placa e imediatamente pegaram "a outra estrada" que levava para Bunnybury. Esse caminho era uma mera faixa estreita, duro e liso, mas não largo o suficiente para os pés de Dorothy pisarem. Mas, não deixava de ser um caminho, e percorrê-lo entre a floresta não foi uma tarefa difícil.

Em pouco tempo chegaram a um grande muro feito de mármore, e o caminho chegou ao fim.

Primeiro Dorothy pensou não haver nenhuma abertura no mármore, mas ao olhar mais de perto ela descobriu uma pequena porta quadrada que tinha aproximadamente a altura de sua cabeça, e sob essa porta fechada havia um sino. Perto do sino havia um aviso pintado em letras impecáveis no mármore, e nele lia-se:

NÃO É PERMITIDA A ENTRADA.
APENAS PARA NEGÓCIOS.

Isso não desanimou Dorothy e ela tocou o sino.

Rapidamente um ferrolho foi retirado com cautela e a porta de mármore se abriu. Ela então viu que na verdade aquilo não era uma porta, mas uma janela, pois havia várias barras de ferro colocadas nela, que foram fixadas com tamanha firmeza e dispostas tão próximas umas das outras que os dedos da menina mal podiam passar entre elas. Atrás das barras apareceu o rosto de um coelho branco – de rosto bastante sóbrio e tranquilo – com uma lente em seu olho esquerdo presa a um cordão na casa do botão.

— Ora! O que foi? — perguntou o coelho, bruscamente.

— Eu sou Dorothy — disse a garota — e estou perdida...

— Diga o que você quer, por favor — interrompeu o coelho.

— O que eu quero — repetiu ela — é descobrir onde estou e...

— Ninguém pode entrar em Bunnybury sem uma carta de apresentação enviada por Ozma de Oz ou por Glinda, a Boa — anunciou o coelho —, então, isso resolve a questão — e ele começou a fechar a janela.

— Espere um minuto! — gritou Dorothy. — Eu trago uma carta de Ozma.

— Da Governante de Oz? — perguntou o coelho, duvidoso.

— Claro. Ozma é minha melhor amiga, sabe; e eu mesma sou uma Princesa também — anunciou ela, com sinceridade.

— Hum, hã! Deixe-me ver sua carta — respondeu o coelho como se duvidasse do que ela falava.

Ela então procurou em seu bolso e encontrou a carta que Ozma lhe dera. Ela passou a carta para o coelho através das barras, que a pegou com suas patas e abriu-a. Ele leu a carta em voz alta com a voz pomposa, como que para mostrar a Dorothy e Billina que era educado e sabia ler. Na carta estava escrito:

"Ficarei muito feliz em saber que meus súditos receberão a Princesa Dorothy, portadora desta missiva real, com a mesma cortesia e consideração com a qual me receberiam."

— Hum... hã! Está assinado "Ozma de Oz" — continuou o coelho — e está selado com o Grande Selo da Cidade das Esmeraldas. Bom, bom, bom! Que estranho! Que impressionante!

— O que você vai fazer agora? — perguntou Dorothy, impaciente.

— Devemos obedecer ao mandato real — respondeu o coelho. — Somos súditos de Ozma de Oz, vivemos em suas terras. Além disso, estamos sob a proteção da grande Feiticeira Glinda, a Boa, que nos fez prometer respeitar todas as ordens de Ozma.

— Então eu posso entrar? — perguntou ela.

— Vou abrir a porta — disse o coelho.

Ele fechou a janela e desapareceu, mas um momento depois a grande porta no muro se abriu e Dorothy entrou em uma pequena sala, que parecia ser uma parte do muro e ter sido construída dentro dele.

Ali estava o coelho com quem ela conversara, e agora ela conseguia ver ele todo e olhou surpresa para a criatura. Era um coelho de bom tamanho com olhos cor-de-rosa, bastante parecido com os outros coelhos brancos. Mas o que a deixava surpresa com relação a ele era a maneira como ele estava vestido. Ele usava uma jaqueta de cetim bordada com ouro e a jaqueta tinha botões de diamantes. Seu colete era de cetim cor-de-rosa, com botões de turmalina. Suas calças eram brancas, para combinar com a jaqueta, e eram largas até a altura dos joelhos – como as calças dos zuavos[2] – sendo amarradas com nós de fitas rosas. Seus sapatos eram de pelúcia branca com fivelas de diamantes, e suas meias eram de seda cor-de-rosa.

A riqueza e até mesmo a magnitude das vestes do coelho fizeram com que Dorothy ficasse encarando a pequena criatura, admirando-o. Totó e Billina entraram com ela na sala e ao vê-los o coelho correu até a mesa e saltou sobre ela com agilidade. Ele então olhou para os três através de seu monóculo e disse:

— Esses seus companheiros, Princesa, não podem entrar em Bunnybury com você.

— Por que não? — perguntou Dorothy.

— Em primeiro lugar, eles assustariam nosso povo, que não gosta de cachorros de jeito nenhum; e, em segundo lugar, a carta de Ozma não faz menção a eles.

— Mas eles são meus amigos — insistiu Dorothy —, e vão comigo para todos os lugares.

— Não dessa vez — disse o coelho, decidido. — Você, Princesa, é uma visitante bem-vinda, já que é altamente recomendada, mas a menos que concorde em deixar o cachorro e a galinha nesta sala, não posso permitir que entre na cidade.

---

2. Nota da tradutora: Os zuavos eram soldados da Infantaria da Argélia e de outros territórios árabes, a serviço do Exército Francês, nos séculos XIX e XX.

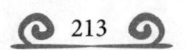

— Não se preocupe conosco, Dorothy — disse Billina.
— Entre e veja como é este lugar. Depois você nos conta, Totó e eu ficaremos aqui descansando até você voltar.

Isso pareceu ser o melhor a fazer, pois Dorothy estava curiosa para ver como as pessoas-coelho viviam e sabia que seus amigos poderiam assustar as tímidas criaturinhas. Ela não se esquecera de como Totó e Billina não se comportaram em Bunbury, e talvez o coelho fosse esperto em insistir para que os dois ficassem fora da cidade.

— Muito bem — disse ela —, vou entrar sozinha. Suponho que você seja o Rei dessa cidade, estou certa?

— Não — respondeu o coelho. — Sou simplesmente o Guardião da Janela, e uma pessoa de pouca importância, embora eu tente cumprir com a minha obrigação. Agora devo informá-la, Princesa, que antes de entrar em nossa cidade você deve concordar em ser diminuída.

— Diminuída? — perguntou Dorothy.

— Seu tamanho. Você precisa ficar do tamanho dos coelhos, embora vá continuar com sua própria aparência.

— As minhas roupas não ficariam grandes demais para mim? — indagou ela.

— Não; elas diminuirão junto com seu corpo.

— *Você* consegue me diminuir? — pergunto a garota.

— Com facilidade — respondeu o coelho.

— E você vai me deixar grande de novo, quando eu decidir ir embora?

— Sim — respondeu ele.

— Tudo bem, então; estou pronta — anunciou ela.

O coelho pulou de cima da mesa e correu – ou melhor, pulou – até a parede mais distante, onde abriu uma porta tão minúscula que até mesmo Totó mal teria conseguido se arrastar por baixo dela.

— Siga-me — disse ele.

Quase qualquer outra garotinha teria dito que não conseguiria passar por uma porta tão pequena, mas Dorothy já vivenciara tantas aventuras encantadas que acreditava que nada era impossível na Terra de Oz. Ela então, com calma, caminhou até a porta e, a cada passo que dava, ficava menor, e menor até que quando chegou na abertura da porta conseguiu passar por ela com facilidade. Na verdade, quando chegou ao lado do coelho, que estava sentado em suas pernas traseiras e usava suas patas como mãos, sua cabeça estava praticamente da altura da cabeça dele.

O Guardião da Janela então passou pela porta e ela foi atrás dele, e depois disso a porta se fechou e trancou com um clique.

Dorothy agora se viu em uma cidade tão estranha e bonita que suspirou, surpresa. O muro alto de mármore se estendia por todo o lugar e o isolava de todo o restante do mundo. E ali havia casas de mármore de formatos curiosos, a maioria delas semelhantes a chaleiras de cabeça para baixo mas com torres e minaretes finos que subiam em direção ao céu. As ruas eram pavimentadas com mármore branco e em frente a cada casa havia um gramado de cor verde bastante viva. Tudo parecia muito limpo, o verde e o branco formando um lindo contraste.

Mas o povo-coelho era, afinal, o mais surpreendente que Dorothy jamais vira. As ruas estavam cheias deles, e seus trajes eram tão esplêndidos que a rica veste do Guardião da Janela se tornava uma roupa comum se comparada às outras. Sedas e cetim de tons delicados pareciam ser sempre usados e praticamente todas as roupas tinham pedras preciosas.

Mas as damas-coelhas superavam os cavalheiros-coelhos em esplendor, e o corte de seus vestidos era realmente maravilhoso. Usavam toucas também, com penas e joias enfeitando-as, e algumas empurravam carrinhos de bebê onde a garota conseguia ver coelhinhos. Alguns estavam dormindo enquanto outros estavam deitados chupando suas patas e olhando em volta com seus grandes olhos cor-de-rosa.

Como Dorothy não era maior do que qualquer coelho adulto, ela conseguiu observá-los de perto antes que eles percebessem sua presença. E assim eles não pareceram alarmados, embora a garotinha tenha se tornado naturalmente o centro da atenção e todos olhassem para ela com curiosidade.

— Abram caminho! — gritava o Guardião da Janela, com a voz pomposa. — Abram caminho para a Princesa Dorothy, que veio a pedido de Ozma de Oz.

Ao ouvir aquele anúncio a multidão de coelhos abriu lugar nas calçadas, e enquanto Dorothy passava todos curvavam suas cabeças em sinal de respeito.

Depois de passarem por várias ruas bonitas eles chegaram a um quadrado no centro da Cidade. Nesse quadrado havia algumas lindas árvores e uma estátua de bronze de Glinda, a Boa, e logo após a estátua estavam os portais do Palácio Real – um edifício extenso e imponente de mármore branco coberto com uma filigrana de ouro fosco.

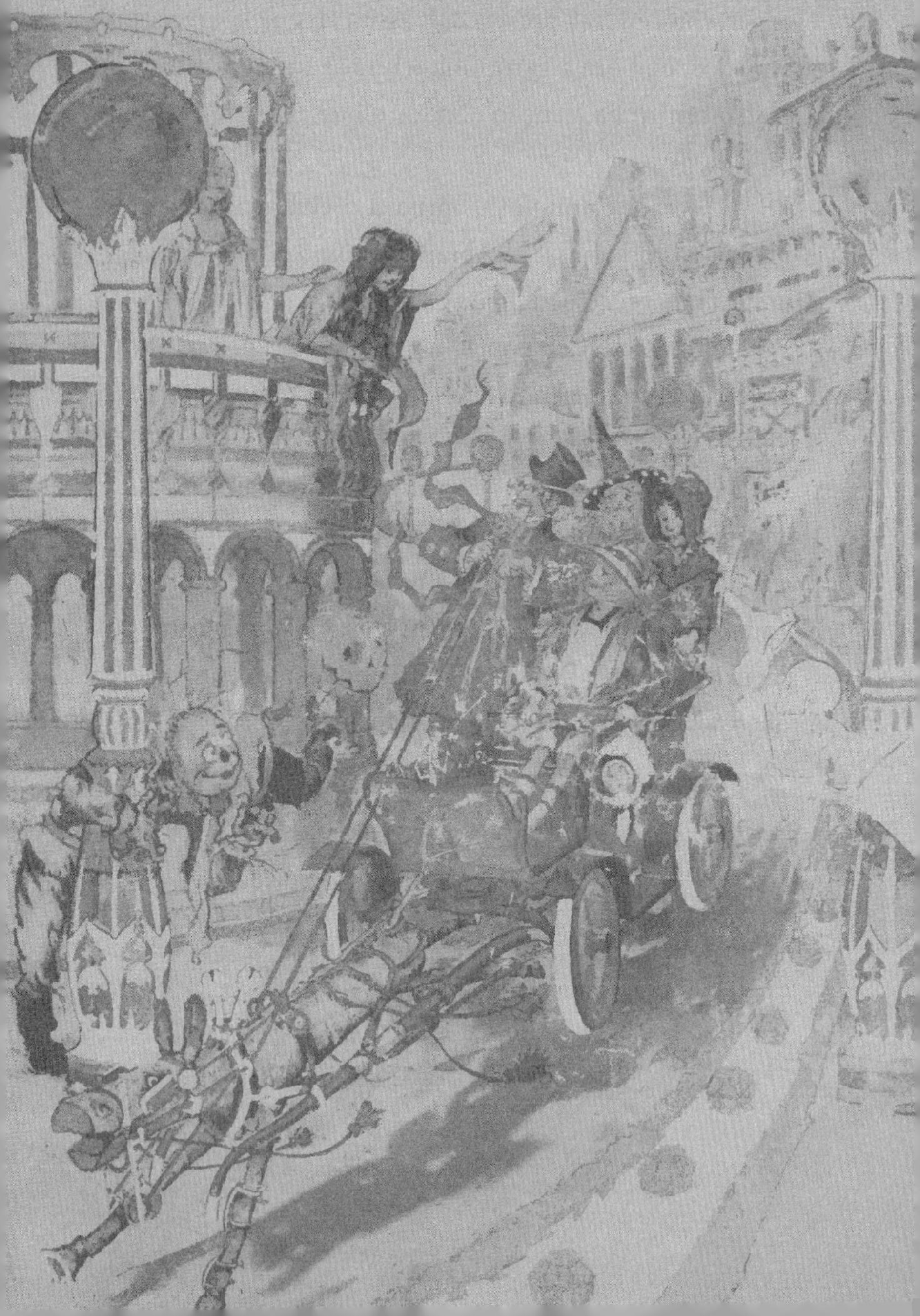

CAPÍTULO 20
QUANDO DOROTHY ALMOÇOU COM UM REI

Uma fila de soldados-coelhos estava formada perante a entrada do palácio e todos usavam uniforme verde e dourado, com chapéu militar em suas cabeças e pequenas lanças em suas mãos.

— Saudações! — gritou o Guardião da Janela. — Saudações para a Princesa Dorothy, que foi enviada por Ozma de Oz!

— Saudações! — gritou o Capitão, e todos os soldados a saudaram prontamente.

Entraram então em um grande saguão do palácio, onde encontraram um atendente alegremente vestido, a quem o Guardião da Janela perguntou se o Rei estava em seu perído de lazer.

— Acho que sim — foi a resposta. — Ouvi sua Majestade chorando e se lamentando como sempre, há apenas alguns minutos atrás. Se ele não parar de agir como um bebê chorão, vou renunciar ao meu posto aqui e ir trabalhar.

— Qual é o problema com o seu Rei? — perguntou Dorothy, surpresa ao ver que o atendente falava de maneira tão desrespeitosa sobre seu monarca.

— Ah, ele não quer ser Rei, esse é o problema. E ele simplesmente *tem* de ser — foi a resposta.

— Venha! — disse o Guardião da Janela, seriamente. — Leve-nos até sua Majestade, e não fale sobre nossos problemas com estranhos, eu lhe peço.

— Ora, se essa garota vai encontrar o Rei, ele vai contar nossos problemas para ela — respondeu o atendente.

— Esse é um privilégio de quem é da realeza — declarou o Guardião.

O atendente os levou para uma sala toda revestida de tecido de ouro e com mobília coberta de cetim dourado. Lá havia um trono, colocado em cima de um estrado com um grande assento almofadado, e nesse assento estava o Rei Coelho. Ele estava deitado de costas, com suas patas levantadas no ar, e choramingava como um cachorrinho.

— Sua Majestade! Sua Majestade! Levante-se. Temos visita — gritou o atendente.

O Rei rolou e olhou para Dorothy com o olho rosado lacrimejando. Depois sentou-se, limpou os olhos com cuidado com um lenço de seda e colocou sua coroa cravejada de joias na cabeça, e ela quase caiu.

— Me perdoe por minha tristeza, cara estranha — disse ele, com a voz triste. — Você vê em mim o monarca mais miserável do mundo. Que horas são, Blinkem?

— Uma hora, sua Majestade — foi a resposta do atendente a quem a pergunta fora feita.

— Sirva o almoço logo! — ordenou o Rei. — Almoço para dois – para minha visitante e para mim – e certifique-se de que haverá comida que a humana goste de comer.

— Sim, sua Majestade — respondeu o atendente, saindo da sala.

— Amarre meu sapato, Bristle — disse o Rei para o Guardião da Janela. — Ah, meu Deus! Como sou infeliz!

— O que está deixando sua Majestade triste? — perguntou Dorothy.

— Ora, os afazeres de um rei, claro — respondeu ele, enquanto o Guardião amarrava seu sapato. — Eu não queria ser Rei de Bunnybury de maneira alguma, e todos os coelhos sabiam disso. Então me elegeram – para se safarem de um destino tão terrível, eu acho – e aqui estou eu, trancado em um palácio, quando eu podia ser livre e feliz.

— Me parece — disse Dorothy — que ser Rei é algo maravilhoso.

— Você já foi Rei? — perguntou o monarca.

— Não — respondeu ela, rindo.

— Então você não sabe nada sobre isso — disse ele. — Não perguntei quem você é, mas isso não importa. Contarei meus problemas a você enquanto almoçamos. Eles são muito mais interessantes do que qualquer coisa que você possa me contar a seu respeito.

— Talvez sejam, para você — respondeu Dorothy.

— O almoço está servido — gritou Blinkem abrindo a porta, e então surgiu uma dúzia de coelhos usando fardas, todos carregando bandejas que colocaram em cima da mesa, onde arrumaram as louças de maneira organizada.

— Agora, saiam; todos vocês! — exclamou o Rei. — Bristle, é melhor você esperar do lado de fora, caso eu precise de você.

Depois que todos saíram e o Rei ficou sozinho com Dorothy ele desceu de seu trono, jogou sua coroa em um canto e chutou seu manto para baixo da mesa.

— Sente-se — disse ele — e tente ficar feliz. Quanto a mim, não adianta tentar, pois estou sempre infeliz e miserável. Mas estou com fome, e espero que você também esteja.

— Estou sim — disse Dorothy. — Só comi um carrinho de mão e um piano hoje... ah, sim, e um pedaço de pão e manteiga que eram um capacho.

— Isso me parece uma refeição bem quadrada — observou o Rei, sentando-se na frente dela. — Mas talvez o piano não fosse quadrado. Não é?

Dorothy riu.

— Você não parece muito infeliz agora — disse ela.

— Mas estou — protestou o Rei, com lágrimas nos olhos. — Até mesmo minhas piadas são miseráveis. Sou infeliz, lamentável, aflito, angustiado e desanimado tanto quanto qualquer indivíduo pode ser. Você não tem pena de mim?

— Não — respondeu Dorothy, com sinceridade. — Não posso dizer que tenho pena de você. Me parece que, para um coelho, você está muito bem. Essa é a cidadezinha mais bonita que já vi.

— Ah, a cidade é boa mesmo — admitiu ele. — Glinda, a Boa Feiticeira, a construiu para nós porque gosta de coelhos. A cidade não me incomoda, embora eu não moraria aqui se tivesse escolha. O que arruinou totalmente minha felicidade foi ter me tornado Rei.

— Por que você não moraria aqui se pudesse escolher? — perguntou ela.

— Porque nada aqui é natural, minha querida. Os coelhos não combinam com todo esse luxo. Quando eu era jovem eu morava em uma toca na floresta. Eu era cercado por inimigos e sempre precisava correr para salvar minha vida. Era difícil conseguir comida, às vezes, e quando eu encontrava um punhado de trevos eu precisava ficar atento para evitar qualquer perigo que se aproximasse enquanto eu comia. Lobos rondavam a toca onde eu morava e às vezes ficavam lá por dias. Ah, como eu era feliz e contente naquela época! Eu era um coelho de verdade, como a natureza me fez – livre e selvagem – e eu até gostava de ouvir a batida acelerada de meu próprio coração!

— Sempre pensei — disse Dorothy, que estava ocupada comendo — que era divertido ser coelho.

— E é divertido – quando você é um coelho de verdade — concordou sua Majestade. — Mas olhe para mim agora! Vivo em um palácio de mármore e não em um buraco no chão. Tenho tudo o que eu quero para comer, sem precisar ir atrás da comida. Todos os dias devo me vestir com roupas bonitas e usar aquela coroa horrorosa que faz minha cabeça doer. Coelhos vêm até mim com todos os tipos de problemas, quando meus próprios problemas são os únicos que me importam. Quando saio não posso sair pulando e correndo; preciso andar sobre minhas pernas traseiras e usar um manto de arminho! E os soldados me fazem saudações e a banda de músicos e outros coelhos riem e batem suas patas e gritam: Salve o Rei! Agora, deixe-me lhe fazer uma pergunta, como amiga e jovem dama de bom julgamento: toda essa pompa e bobagem não é suficiente para deixar um coelho decente miserável?

— Houve um dia — disse Dorothy, pensativa — em que os homens eram selvagens, não usavam roupas, viviam em cavernas e caçavam sua comida como as feras selvagens fazem. Mas eles foram civilizados, com o tempo, e hoje detestariam voltar aos velhos tempos.

— Esse é um caso totalmente diferente — respondeu o Rei. — Nenhum de vocês, humanos, foi civilizado em uma vida. A civilização chegou aos poucos para vocês. Mas eu conheci a floresta e a vida livre, e é por isso que não gosto de ter sido civilizado de repente, contra minha vontade, e ter sido nomeado Rei com uma coroa e um manto de arminho. Ah!

— Se você não gosta, por que você não renuncia? — perguntou ela.

— Impossível! — gemeu o Coelho, limpando seus olhos mais uma vez com seu lenço. — Existe uma lei bestial nesta cidade que proíbe que isso aconteça. Quando alguém é eleito Rei não há saída.

— Quem criou a lei? — perguntou Dorothy.

— A mesma Feiticeira que criou a cidade: Glinda, a Boa. Ela construiu o muro, arrumou a cidade, nos forneceu vários encantos valiosos e criou as leis. Depois convidou todos os coelhos de olhos cor-de-rosa da floresta para virem para cá, e então nos deixou para viver o nosso destino.

— E por que você aceitou o convite e veio para cá? — perguntou a garota.

— Eu não sabia que a cidade era tão terrível, e não fazia a menor ideia de que seria eleito Rei — disse ele, soluçando. — E, e agora Eu o sou – com E maiúsculo – e não posso fugir disso!

— Eu conheço a Glinda — comentou Dorothy, enquanto comia um pedaço de charlotte russo de sobremesa —, e quando a encontrar vou pedir para que ela coloque um outro rei no seu lugar.

— Você fará isso? Você realmente fará isso? — perguntou o Rei, com alegria.

— Farei se você quiser que eu faça — respondeu ela.

— Iupi, iupi! — gritou o Rei; e então ele pulou da mesa e dançou pela sala, acenando seu guardanapo como se fosse uma bandeira e rindo de alegria.

Depois de um tempo ele conseguiu controlar sua alegria e voltou para a mesa.

— Quando você acha que vai se encontrar com a Glinda? — perguntou ele.

— Ah, talvez daqui alguns dias — disse Dorothy.

— E você não vai se esquecer de pedir a ela?

— É claro que não.

— Princesa — disse o Rei Coelho, com sinceridade —, você me tirou de uma grande infelicidade, e sou muito grato por isso. Pretendo divertir você, pois você é minha convidada e eu sou o Rei, como um pequeno agradecimento pelo que você fez. Venha comigo para o salão de festas.

Ele então chamou Bristle e disse a ele:

— Reúna todos os nobres no grande salão de festas, e também diga a Blinkem que quero vê-lo imediatamente.

O Guardião da Janela curvou-se e apressou-se, e sua Majestade olhou para Dorothy e continuou:

— Teremos tempo para uma caminhada no jardim antes de as pessoas chegarem.

Os jardins ficavam nos fundos do palácio e estavam repletos de lindas flores e arbustos aromáticos, com muita sombra, árvores frutíferas e calçadas pavimentadas com mármore em todas as direções. Quando entraram neste lugar Blinkem veio correndo na direção do Rei, que deu a ele várias ordens em voz baixa. Sua Majestade então acompanhou Dorothy e a levou pelos jardins, dos quais ela gostou bastante.

— Que roupas adoráveis sua Majestade está vestindo! — disse ela, olhando para o rico traje de cetim azul, bordado com pérolas, que o Rei usava.

— Sim — respondeu ele, com ar de orgulho —, essa é uma das minhas roupas preferidas. Temos alfaiates em Bunnybury, e Glinda fornece todo o material. Por falar nisso, você pode pedir à Feiticeira, quando a encontrar, para permitir que eu continue com meu guarda-roupa.

— Mas se você voltar para a floresta não vai precisar de roupas — disse ela.

— Não! — vacilou ele. — Isso é verdade. Mas já faz tanto tempo que eu ando vestido que acabei me acostumando com isso e não me imagino correndo por aí pelado novamente. Então, talvez a Boa Glinda me deixe ficar com meus trajes.

— Vou pedir a ela — concordou Dorothy.

Eles então deixaram os jardins e foram para um lindo salão de festas onde ricos tapetes estavam espalhados no chão de azulejos e a mobília era requintadamente esculpida e cravejada de joias. A cadeira do Rei era especialmente bonita, tendo a forma de um lírio prateado com uma folha inclinada para servir de assento. A prata era grossa, incrustada de diamantes, e o assento era coberto com cetim branco.

— Ah, que cadeira magnífica! — exclamou Dorothy, batendo suas mãos admirada.

— Não é? — respondeu o Rei, orgulhoso. — É minha cadeira preferida, e acho que é especialmente apropriada para minha pessoa. E agora que pensei nisso, gostaria que você pedisse para Glinda me deixar ficar com essa cadeira quando eu for embora.

— Ela não cairia bem em um buraco no chão, não é? — sugeriu ela.

— Talvez não, mas estou acostumado a me sentar nela e gostaria de levá-la comigo — respondeu ele. — Mas, aí vêm as damas e os cavalheiros da corte; por favor, sente-se ao meu lado que apresentarei você a eles.

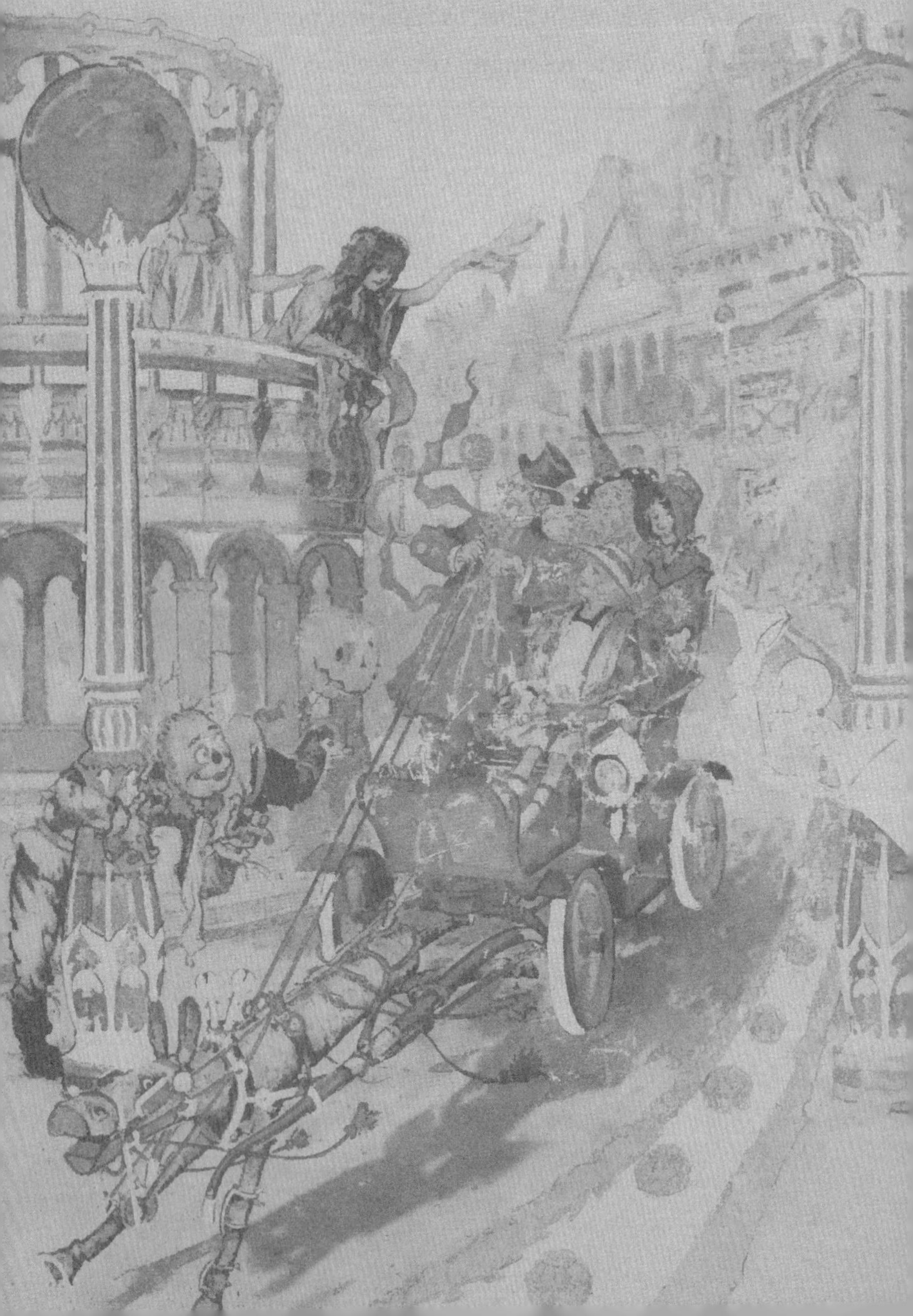

CAPÍTULO 21
QUANDO O REI MUDOU DE IDEIA

Naquele momento uma banda de aproximadamente cinquenta coelhos entrou marchando, tocando instrumentos dourados e vestindo belos uniformes. Atrás da banda vieram os nobres de Bunnybury, todos ricamente vestidos e pulando apoiados em suas pernas traseiras. Tanto as damas quanto os cavalheiros usavam luvas brancas em suas patas, com anéis por cima das luvas, pois isso parecia ser moda por ali. Algumas damas usavam monóculos de lente dupla enquanto muitos dos cavalheiros usavam monóculos no olho esquerdo.

Os cortesãos e suas damas caminharam em direção ao Rei, que apresentou a Princesa Dorothy para cada casal de maneira bastante graciosa. O grupo então sentou-se em cadeiras e sofás e todos ficaram olhando ansiosos para o monarca.

— É nossa responsabilidade real, assim como um prazer real — disse ele —, entreter nossa distinta convidada. Vamos agora apresentar a Banda Real dos Friskers Bigodudos.

Ao falar isso os músicos, que estavam acomodados em um canto, começaram a tocar uma melodia dançante enquanto os Friskers Bigodudos entraram dançando no salão. Eram oito lindos coelhos vestidos apenas com saias roxas transparentes presas em volta de suas cinturas com faixas de diamantes. Seus bigodes estavam pintados de roxo forte, mas, fora isso, todo o restante de seus pelos era muito branco.

Depois de fazer uma reverência perante o Rei e Dorothy, os Friskers começaram suas brincadeiras, e elas eram tão engraçadas que Dorothy riu, realmente entretida. Eles não só dançaram juntos, girando e girando pela sala, mas também pulavam uns sobre os outros, apoiavam-se em suas cabeças e pulavam aqui e ali com tanta agilidade que era difícil acompanhá-los. Finalmente todos deram cambalhotas e saíram da sala dando saltos mortais.

A nobreza aplaudiu entusiasticamente e Dorothy os acompanhou.

— Eles são ótimos! — disse ela para o Rei.

— Sim, os Friskers Bigodudos são realmente muito espertos — respondeu ele. — Vou detestar ficar longe deles quando eu for embora, pois eles normalmente me divertem quando estou me sentindo triste. Fico me perguntando se você poderia pedir para Glinda...

— Não, isso não é possível — declarou Dorothy. — Não haveria espaço em sua toca no chão para tantos coelhos, principalmente depois que você levar sua cadeira de lírios e suas roupas para lá. Nem pense nisso, sua Majestade.

O Rei suspirou. Então ele parou e anunciou para o grupo:

— Agora teremos um exercício militar realizado pela Guarda das Lanças Reais.

A banda então tocou uma marcha e um grupo de coelhos-soldados entrou. Eles usavam uniformes verde e dourado e marcharam com bastante firmeza e em tempo perfeito. Suas lanças tinham pontas esguias de prata polida com ponta dourada, e durante o exercício, manejavam essas armas com maravilhosa destreza.

— Acho que você se sente bastante seguro com uma Guarda tão boa — observou Dorothy.

— É verdade — disse o Rei. — Eles me protegem de qualquer perigo. Acho que Glinda não...

— Não — interrompeu a garota. — Tenho certeza de que ela não faria isso. Essa é a Guarda do Rei, e quando você não for mais Rei, não poderá ficar com ela.

O Rei não respondeu, mas pareceu bastante triste por algum tempo.

Depois que os soldados marcharam para fora ele disse ao grupo:

— Os Malabaristas Reais vão entrar agora.

Dorothy já vira muitos malabaristas em sua vida, mas nunca tão interessantes quanto estes. Havia seis deles, vestidos de cetim preto bordado com símbolos estranhos em prata – um traje que contrastava bastante com o pelo branco como a neve.

 Primeiro empurraram uma grande bola vermelha e três dos malabaristas-coelhos ficaram em pé no topo dela e a fizeram rolar. Depois, dois deles pegaram um terceiro e o jogaram no ar, todos desaparecendo até que sobraram apenas os dois. Um desses dois então jogou o outro para cima e depois ficou ali, sem seus companheiros. O último malabarista agora tocou a bola vermelha, que se abriu, sendo oca por dentro, e os cinco coelhos que haviam desaparecido no ar saíram de dentro da bola.

 Em seguida eles se juntaram e giraram rapidamente no chão. Quando pararam era possível enxergar apenas um coelho malabarista gordo, os outros pareciam estar dentro dele. Esse coelho pulou no ar e quando caiu explodiu e separou-se, exibindo os seis coelhos originais. Então quatro deles se enrolaram nas bolas redondas e os outros dois os jogaram e brincaram com as bolas.

 Esses foram apenas alguns dos truques que os malabaristas desempenharam, e eles eram tão habilidosos que toda a nobreza e até mesmo o Rei aplaudiram alto, assim como Dorothy.

 — Acho que não existem malabaristas-coelhos no mundo todo que se comparem com esses — observou o Rei. — E já que não posso levar comigo os Friskers Bigodudos, nem a minha Guarda, você poderia pedir para Glinda me deixar levar apenas dois ou três malabaristas. Você faria isso?

— Vou pedir para ela — respondeu Dorothy, em dúvida.

— Obrigado — disse o Rei. — Muito obrigado. E agora vamos ouvir os Cativantes e Sorridentes Papa-Moscas, que normalmente me alegram em meus momentos de angústia.

Os Cativantes e Sorridentes Papa-Moscas era um quarteto de coelhos cantores, dois cavalheiros e duas damas. Os Papa-Moscas cavalheiros usavam ternos de cetim branco com casaca, os botões eram feitos de pérolas e as damas usavam vestidos longos de cetim branco.

A primeira música que cantaram começava assim:

"Quando um coelho se acostumar
A na cidade morar
E roupas e joias raras e belas usar,
O coelho que precisa correr ele vai desdenhar,
E também aquele que na toca precisa se refugiar,
E olhará com pesar,
Aqueles que têm no homem, na arma e no cão,
Inimigos a vigiar."

Dorothy olhou para o Rei quando ouviu a música e ele parecia incomodado.

— Não gosto dessa música — disse ele para os Papa-Moscas. — Cantem algo mais alegre e jovial.

E então eles cantaram uma canção alegre e tilintante que dizia:

"Coelhos alegres
Felizes a brincar
Em sua cidade segura e encantada
Sempre a saltar
E com seu bigode a flertar
Com uma coelhinha de tom rosado no olhar
Cada dama
Vestida de seda chama
E lança olhares tímidos a seu parceiro,
Patas são agarradas,
Cinturas são apertadas
Enquanto giram em danças inebriadas.
Então, juntos
No meio da urze
Sob a luz da lua eles passeiam
Cada um bastante
Alegre e feliz,
Saltando com risos engraçados
A vida é divertida
Para todos
E protegida pela magia
Pois perigos
Não enfrentamos
E estamos a salvo
De qualquer que sejam os danos."

— Está vendo — disse Dorothy para o Rei, quando a música terminou —, os coelhos todos parecem gostar de

Bunnybury, menos você. E eu acho que você é o único que já chorou ou se sentiu infeliz e quis voltar para sua toca lamacenta no chão.

Sua Majestade parecia pensativa, e enquanto os serviçais distribuíam copos de néctar e pratos de bolos gelados seu Rei estava em silêncio e um pouco nervoso.

Depois que as refeições foram saboreadas por todos e os serviçais saíram, Dorothy disse:

— Preciso ir agora, pois está ficando tarde e estou perdida. Preciso encontrar o Mágico e a tia Em e o tio Henry e todos os outros antes do anoitecer, se eu conseguir fazer isso.

— Você não quer ficar conosco? — perguntou o Rei. — Você é muito bem-vinda aqui.

— Não, obrigada — respondeu ela. — Preciso voltar para os meus amigos. E quero me encontrar com a Glinda o mais rápido possível.

O Rei então dispensou sua corte e disse que ele mesmo acompanharia Dorothy até o portão. Ele não chorou ou resmungou mais, mas seu rosto estava bastante sério e suas orelhas grandes estavam abaixadas para o lado. Ele ainda usava sua coroa e seu arminho e andava com uma bela bengala com a ponta de ouro.

Quando chegaram à sala dentro do muro, a garotinha encontrou Totó e Billina esperando pacientemente por ela. Eles haviam sido alimentados pelos atendentes, e não estavam com pressa para ir embora, pois estavam bastante confortáveis naquele lugar.

O Guardião da Janela já estava agora em seu antigo lugar, mas mantinha uma distância segura de Totó. Dorothy despediu-se do Rei dentro do muro.

— Você foi bom para mim — disse ela — e eu lhe agradeço muito. Assim que possível vou visitar Glinda e pedir a ela para colocar um outro Rei no seu lugar e enviar você de volta para a floresta. E vou pedir a ela para deixar você levar suas roupas, a cadeira de lírios e um ou dois malabaristas para entreter você. Tenho certeza de que ela vai fazer isso, pois ela é tão boa e não gosta de saber que alguém está infeliz.

— Aham! — disse o Rei, olhando para baixo. — Eu não quero incomodar você com a minha tristeza; por isso, você não precisa ver a Glinda.

— Ah, mas eu vou — respondeu ela. — Isso não vai me atrapalhar em nada.

— Mas, minha querida — continuou o Rei, de maneira constrangida —, venho pensando no assunto com cuidado, e acho que há muito mais coisas agradáveis aqui em Bunnybury das quais eu sentiria falta se fosse embora. Então, talvez seja melhor eu ficar.

Dorothy riu. E depois pareceu séria.

— Mas não funciona você ser um Rei e um bebê chorão ao mesmo tempo — disse ela. — Você está deixando todos os outros coelhos tristes e infelizes com seus comentários sobre ser tão miserável. Por isso acho que é melhor eles terem um outro Rei.

— Ah, não! — exclamou o Rei, com seriedade. — Se você não disser nada para Glinda, prometo ficar feliz o tempo todo e nunca mais chorar ou reclamar de novo.

— Palavra de honra? — perguntou ela.

— Com a palavra real de um Rei, eu prometo! — respondeu ele.

— Tudo bem — disse Dorothy. Você seria maluco em querer deixar Bunnybury para viver na floresta, e tenho certeza de que qualquer coelho que não mora na cidade ficaria muito feliz em assumir o seu lugar.

— Esqueça esse assunto, minha querida; esqueça toda a minha bobagem — implorou o Rei, com seriedade. — A partir de agora vou tentar me divertir e cumprir minhas obrigações para com meus súditos.

Então ela o deixou e passou pela pequena porta para entrar na sala dentro do muro, onde aos poucos ela foi ficando cada vez maior, até voltar para seu tamanho normal.

O Guardião da Janela abriu a porta para que eles saíssem na floresta e disse a Dorothy que ela tinha sido de grande ajuda para Bunnybury, pois tinha feito seu Rei deplorável perceber o prazer de governar uma cidade tão bela.

— Vou lançar uma petição para pedir que ergam uma estátua sua ao lado da de Glinda, na praça — disse o Guardião. — Espero que você volte aqui, um dia, para vê-la.

— Talvez eu volte — respondeu ela.

Assim, acompanhada por Totó e Billina, ela saiu de dentro do alto muro de mármore e voltou a andar no caminho estreito em direção à placa de sinalização.

CAPÍTULO 22
QUANDO O MÁGICO ENCONTROU DOROTHY

Quando chegaram à placa, lá, para a alegria deles, estavam as cabanas do Mágico montadas ao lado do caminho e um caldeirão borbulhando sobre uma fogueira. O Homem-Farrapo e Omby Amby estavam pegando lenha enquanto o tio Henry e a tia Em estavam sentados em suas cadeiras conversando com o Mágico.

Todos correram para receber Dorothy, enquanto ela se aproximava, e a tia Em exclamou:

— Graças a Deus, criança! Onde você estava?

— Você sumiu o dia todo — disse o Homem-Farrapo, em tom reprovador.

— Bom, vejam só, eu me perdi — explicou a garotinha. — E tentei muito encontrar o caminho de volta, mas simplesmente não consegui.

— Você ficou andando pela floresta o dia todo? — perguntou o tio Henry.

— Você deve estar morrendo de fome! — disse a tia Em.

— Não estou — disse Dorothy. — Comi um carrinho de mão e um piano no café da manhã, e almocei com um rei.

— Ah! — exclamou o Mágico, balançando a cabeça com um largo sorriso no rosto. — Então você se envolveu em novas aventuras.

— Ela está maluca! — exclamou a tia Em. — Que história é essa de comer carrinho de mão?

— Ele não era muito grande — disse Dorothy; — e tinha uma roda de balas e guloseimas.

— E eu comi os farelos — acrescentou Billina, séria.

— Sente-se e conte-nos tudo — pediu o Mágico. — Passamos o dia procurando por vocês, e por fim encontrei suas pegadas nesse caminho – e os rastros de Billina. Descobrimos o caminho por acaso, e ao ver que levava apenas para dois lugares, concluí que você estava em um dos dois. Então montamos acampamento aqui e esperamos pelo seu retorno. Agora, Dorothy, conte-nos para onde você foi – para Bunburry ou para Bunnyburry?

— Ora, eu fui para os dois lugares — respondeu ela. — Mas primeiro fui para Utensia, que não está no caminho.

Ela então sentou-se e contou sua aventura, e vocês podem ter certeza de que a tia Em e o tio Henry ficaram bastante impressionados com as histórias.

— Mas depois de visitar as Cuttenclips e os Fuddles — observou o tio —, achamos que não existia mais nada tão diferente nesse país.

— Parece que as únicas pessoas comuns por aqui somos nós — observou a tia Em, com timidez.

— Agora que estamos juntos novamente, e reunidos como grupo — observou o Homem-Farrapo —, o que vamos fazer?

— Vamos comer alguma coisa e descansar durante a noite — respondeu o Mágico, prontamente. — E depois seguiremos nossa jornada.

— Para onde? — perguntou o Capitão General.

— Ainda não visitamos os Rigmaroles e os Flutterbudgets — disse Dorothy. — Eu gostaria de ir até eles, vocês não?

— Eles não parecem ser muito interessantes — disse a tia Em. — Mas talvez sejam.

— E depois — continuou o pequeno Mágico —, vamos fazer uma visita ao Homem de Lata, ao Jack, Cabeça de Abóbora, e ao nosso velho amigo Espantalho, quando estivermos a caminho de casa.

— Isso vai ser legal! — exclamou Dorothy, animada.

— Não posso dizer que eles *soem* interessantes também — observou a tia Em.

— Ora, eles são os meus melhores amigos! — garantiu a garota. — E você certamente vai gostar deles, tia Em, porque *todo mundo* gosta deles.

Nessa hora a noite se aproximava e eles comeram uma boa refeição que foi preparada magicamente pelo Mágico no caldeirão e então foram dormir em suas cabanas aconchegantes.

Todos acordaram bem cedo na manhã seguinte, mas Dorothy não se aventurou a andar pelas redondezas novamente, com medo de novos acidentes.

— Você sabe onde fica a estrada? — ela perguntou para o homenzinho.

— Não, minha querida — respondeu o Mágico. — Mas vou encontrá-la.

Depois do café da manhã ele acenou a mão em direção às cabanas e elas viraram lenços novamente, que rapidamente foram devolvidos para os bolsos de seus donos. Subiram então na carroça vermelha e o Cavalete perguntou:

— Por onde vamos?

— Não se preocupe com isso — respondeu o Mágico. — Apenas vá para onde você quiser e não tenho dúvidas de que estará no caminho certo. Eu encantei as rodas da carroça, e elas vão girar na direção certa, sem receio.

Quando o Cavalete começou a andar entre as árvores Dorothy disse:

— Se tivéssemos uma daquelas máquinas voadoras poderíamos voar sobre o topo da floresta, olhar para baixo e encontrar os lugares que desejássemos.

— Máquinas voadoras? Oras! — respondeu o homenzinho, com desdém. — Odeio aquelas coisas, Dorothy, embora elas não sejam novidade nem para mim nem para você. Fui um balonista por muitos anos e um dia meu balão me levou para a Terra de Oz, e outro dia para o Reino dos Vegetais. E Ozma já teve um Gumpo que voava por todo o reino e tinha noção o suficiente para ir para onde lhe era solicitado – algo que as máquinas de voar não farão. A casa que o ciclone trouxe para Oz lá do Kansas, com você e Totó dentro – era uma verdadeira máquina voadora naquela época; então veja bem, já tivemos bastante experiência em voar como pássaros.

— Essas máquinas voadora não são ruins, afinal — declarou Dorothy. — Um dia elas vão voar pelo mundo, e talvez até tragam pessoas para a Terra de Oz.

— Preciso falar com Ozma sobre isso — disse o Mágico, franzindo um pouco a testa. — Não seria nenhum pouco bom, sabe, a Cidade das Esmeraldas se tornar uma estação de uma máquina voadora.

— Não — disse Dorothy —, não acho que seria bom. Mas como evitar que isso aconteça?

— Estou trabalhando em uma receita de magia para confundir a cabeça dos homens, de maneira que eles nunca vão conseguir construir uma máquina voadora que vá para qualquer lugar que queiram ir — confessou o Mágico para ela. — Isso não vai impedir as pessoas de voarem, uma vez ou outra, mas vai impedir que eles voem para a Terra de Oz.

Neste momento o Cavalete levou a carroça para fora da floresta e uma linda paisagem pôde ser vista pelos viajantes. Além disso, bem à frente deles havia uma bela estrada que passava por entre as colinas e vales.

— Agora — disse o Mágico, com evidente prazer — estamos no caminho certo novamente, e não precisamos nos preocupar com mais nada.

— É uma bobagem correr riscos em um lugar desconhecido — observou o Homem-Farrapo. — Se tivéssemos ficado na estrada nunca teríamos nos perdido. As estradas sempre levam a algum lugar, caso contrário não seriam chamadas de estradas.

— Essa estrada — acrescentou o Mágico — vai para a Cidade de Rigmarole. Tenho certeza disso, pois encantei as rodas da carroça.

E, de fato, depois de andarem na estrada por uma hora ou duas eles entraram em um lindo vale onde havia uma vila formada entre as colinas. As casas pareciam com as dos Munchkin, pois eram todas abobadadas, com janelas mais largas do que altas e lindas varandas na frente.

Tia Em ficou bastante aliviada ao ver que essa cidade "não era de papel nem de retalhos", e a única coisa surpreendente nela é que era muito longe de todas as outras cidades.

Quando o Cavalete levou a carroça até a rua principal da cidade, os viajantes perceberam que o local estava repleto de pessoas, que estavam reunidas em grupos e pareciam entretidas em conversas. Os habitantes estavam tão ocupados com seus assuntos que mal perceberam a presença dos forasteiros. O Mágico precisou parar um menino para perguntar:

— Essa é a Cidade Rigmarole?

— Senhor — respondeu o garoto — se você já viajou bastante você deve ter percebido que cada cidade é diferente da outra de uma maneira ou de outra, então, ao observar os métodos dessas pessoas e a maneira como elas vivem, assim como o estilo de suas habitações, não deve ser difícil decidir sem precisar perguntar se a cidade tem a aparência daquela que você pretende visitar ou se talvez, ao pegar uma estrada diferente da que você deveria ter pego, se você se enganou e chegou a algum outro lugar...

— Minha nossa! — exclamou tia Em, impaciente. — Que complicação é essa?

— É isso! — disse o Mágico, rindo com alegria. — É uma complicação porque *rigmarole* significa complicação, e o garoto é um Rigmarole, então chegamos à Cidade Rigmarole.

— Todos aqui falam dessa maneira? — perguntou Dorothy, pensativa.

— Ele podia ter dito "sim" ou "não" e isso resolveria a questão — observou o tio Henry.

— Não aqui — disse Omby Amby. — Eu não acho que os Rigmaroles saibam o que significa "sim" ou "não".

Enquanto o garoto falava, outras pessoas se aproximaram da carroça e ouviam com atenção o que ele dizia. Então começaram a falar uns com os outros em discursos longos e deliberados onde muitas palavras eram usadas, mas pouco era dito. Mas quando os forasteiros os criticaram com tanta franqueza uma das mulheres, que não tinha ninguém mais com quem falar, começou a falar com eles dizendo:

— A coisa mais fácil do mundo para uma pessoa é dizer "sim" ou "não" quando a pergunta que é feita com o objetivo de dar informação ou satisfazer a curiosidade de quem perguntou atraiu a atenção de um indivíduo que pode ser competente tanto por experiência pessoal ou pela experiência com os outros em responder à pergunta com mais ou menos exatidão ou pelo menos com uma tentativa de satisfazer o desejo por informação por parte daquele que fez a pergunta...

— Meu Deus! — exclamou Dorothy, interrompendo aquele discurso. — Perdi toda a sua linha de pensamento.

— Não a faça começar de novo, pelo amor de Deus — exclamou a tia Em.

Mas a mulher não começou de novo. Ela nem parou de falar, mas continuou como começara, as palavras saíam de sua boca como uma correnteza.

— Tenho bastante certeza de que se formos pacientes e ouvirmos com atenção, algumas dessas pessoas talvez consigam nos dizer alguma coisa em algum momento — disse o Mágico.

— Não vamos esperar — respondeu Dorothy. — Ouvi falar sobre os Rigmaroles, e ficava imaginando como eles eram; mas agora já sei, e estou pronta para seguir em frente.

— Eu também — declarou o tio Henry. — Estamos perdendo tempo aqui.

— Ora, então estamos todos prontos para seguir em frente — acrescentou o Homem-Farrapo, colocando os dedos nos ouvidos para não ouvir a conversa de todos que cercavam a carroça.

Assim o Mágico falou com o Cavalete, que trotou ligeiramente pela vila e logo saiu no campo aberto do outro lado da cidade. Dorothy olhou para trás, enquanto se afastavam, e percebeu que a mulher ainda não tinha terminado de falar, embora ninguém a estivesse ouvindo.

— Se aquelas pessoas escrevessem livros — observou Omy Amby com um sorriso — eles precisariam de uma biblioteca inteira para dizer que a vaca pulou por cima da lua.

— Talvez algum deles escrevam livros — observou o pequeno Mágico. — Já li alguns livros que devem ter sido escritos nessa cidade.

— Alguns dos palestrantes das faculdades e ministros certamente têm parentesco com esse povo — observou o Homem-Farrapo. — E me parece que a Terra de Oz está um pouco na frente dos Estados Unidos em relação a algumas de suas leis. Pois aqui, se alguém não consegue falar com clareza e exatidão, eles são enviados para a Cidade Rigmarole; enquanto o tio Sam deixa que eles circulem livremente pela américa torturando pessoas inocentes.

Dorothy estava pensativa. Os Rigmaroles tinham deixado uma forte impressão nela. Depois de conhecê-los, ela decidiu que, sempre que falasse, usaria apenas palavras suficientes para expressar o que queria dizer.

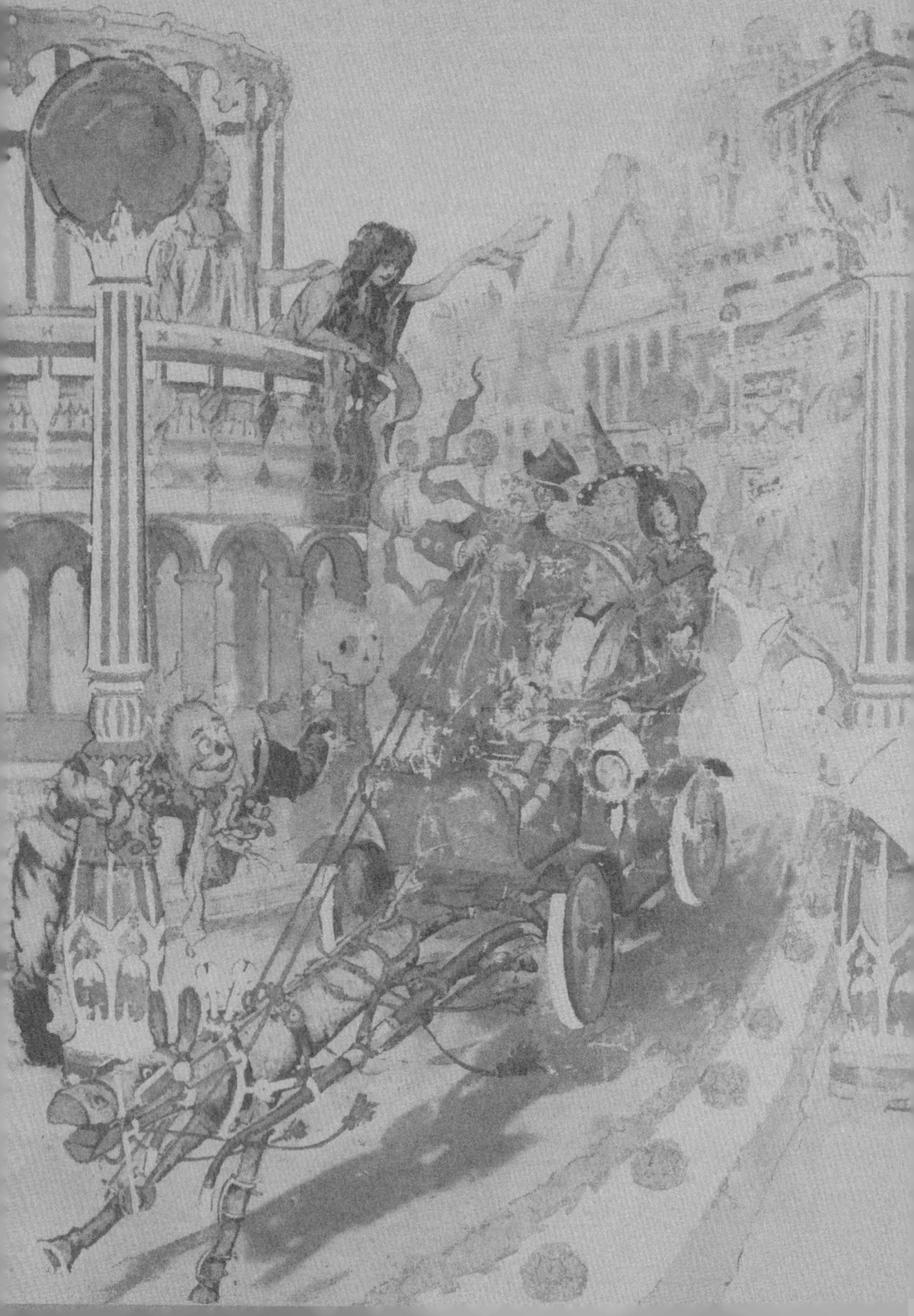

CAPÍTULO 23
QUANDO ELES ENCONTRARAM OS FLUTTERBUDGETS

Logo estavam viajando entre as colinas e vales outra vez e o Cavalete acelerava o passo subindo e descendo rapidamente, pois a estrada era firme e suave. Quilômetro após quilômetro milha iam avançando, e antes que a viagem se tornasse cansativa eles avistaram uma outra vila. O lugar parecia ainda maior do que a Cidade Rigmarole, mas não tinha aparência tão atraente.

— Esse deve ser o Centro de Flutterbudget — declarou o Mágico. — Vejam só, não há dificuldade nenhuma em encontrar os lugares se seguimos no caminho certo.

— Como são os Flutterbudgets? — perguntou Dorothy.

— Eu não sei, minha querida. Mas Ozma deu uma cidade inteirinha para eles, e ouvi dizer que sempre que uma pessoa se torna um Flutterbudget ela é enviada para morar aqui.

— Isso é verdade — disse Omby Amby. — O Centro Flutterbudget e a Cidade Rigmarole são chamados de "os Assentamentos Defensivos de Oz."

A vila da qual se aproximavam agora não ficava em um vale, mas no topo de uma colina, e a estrada pela qual eles seguiram ficava em volta da colina como se fosse um saca-rolhas, subindo a montanha com facilidade até chegar à cidade.

— Cuidado! — gritou uma voz. — Tenha cuidado, senão você vai passar por cima da minha criança!

Todos olharam em volta e viram uma mulher na calçada abanando nervosamente suas mãos enquanto olhava para eles.

— Onde está a sua criança? — perguntou o Cavalete.

— Dentro da casa — disse a mulher, começando a chorar. — Mas se ela estivesse na estrada, e vocês passassem por cima dela, essas grandes rodas a esmagariam e a transformariam em geleia. Ah, meu Deus! Ah, meu Deus! Pensem na minha querida criança esmagada e virando geleia por causa daquelas rodas.

— Upa, upa! — disse o Mágico e o Cavalete começou a andar.

Eles não tinham andado muito quando um homem saiu correndo de uma casa gritando alto:

— Socorro! Socorro!

O Cavalete parou e o Mágico, tio Henry, o Homem-Farrapo e Omby Amby pularam da carroça e correram para ajudar o pobre homem. Dorothy seguiu o grupo o mais rápido que conseguiu.

— O que aconteceu? — perguntou o Mágico.

— Socorro! Socorro! — gritou o homem. — Minha esposa cortou o dedo e vai morrer de tanto sangrar!

Ele então se virou e correu para dentro da casa, e todo o grupo foi com ele. Eles encontraram uma mulher na porta da frente gemendo e chorando com muita dor.

— Tenha coragem, madame! — disse o Mágico, em tom consolador. — Você não vai morrer só porque cortou um dedo, pode ter certeza disso.

— Mas eu não cortei um dedo! — soluçou ela.

— Então, o que aconteceu? — perguntou Dorothy.

— Eu... eu espetei meu dedo com uma agulha enquanto costurava e... e começou a sangrar! — respondeu ela. — E agora vou ficar intoxicada pelo sangue, e os médicos vão ter de cortar meu dedo, e isso vai me deixar com febre e eu vou morrer!

— Que bobagem! — disse Dorothy. — Já espetei meu dedo várias vezes e nada aconteceu.

— Sério? — perguntou a mulher, mais alegre e limpando os olhos no avental.

— Sim, isso não é nada demais — declarou a garota. — Você está mais assustada do que machucada.

— Ah, é porque ela é uma Flutterbudget — disse o Mágico, consentindo com a cabeça. — Acho que sei como essas pessoas são.

— Eu também — disse Dorothy.

— Ah, buá, buá — soluçou a mulher, começando a chorar novamente.

— Qual é o problema agora? — perguntou o Homem-Farrapo.

— Ah, pense se eu espetar meu pé! — choramingou ela. — Aí os médicos vão ter de cortar meu pé, e eu vou ficar manca pro resto da vida!

— Certamente, madame — respondeu o Mágico. — E se você espetar seu nariz talvez eles tenham de cortar a sua cabeça. Mas, veja só, você não espetou seu nariz.

— Mas podia ter espetado! — exclamou ela e começou a chorar de novo. O grupo então deixou a mulher e partiram na carroça. O marido saiu da casa de novo e começou a gritar "Socorro"! como fizera antes, mas ninguém parecia prestar atenção nele.

Quando os viajantes viraram em uma outra rua, encontraram um homem andando agitado de um lado para o outro na calçada. Ele parecia estar bastante nervoso e o Mágico o chamou e perguntou:

— Tem alguma coisa errada, senhor?

— Tudo está errado — respondeu o homem, desanimado. — Não consigo dormir.

— Por que não? — perguntou Omby Amby.

— Para dormir preciso fechar meus olhos — explicou ele — e se fecho meus olhos eles podem ficar grudados, e então ficarei cego para o resto da vida!

— Você já ouviu falar de alguém que ficou com os olhos grudados? — perguntou Dorothy.

— Não — disse o homem. — Nunca. Mas seria algo terrível, não? E só de pensar nisso fico nervoso e com medo de dormir.

— Não tenho como te ajudar nesse caso — declarou o Mágico; e o grupo seguiu em frente.

Na esquina da rua seguinte uma mulher foi correndo até eles gritando:

— Salvem meu bebê! Ah, pessoas boas e gentis, salvem meu bebê!

— Ele está em perigo? — perguntou Dorothy, percebendo que a criança estava nos braços da mulher e parecia dormir tranquilamente.

— Sim, está sim — disse a mulher, nervosa. — Se eu entrar em casa e jogar minha criança pela janela, ela vai rolar até o pé do morro; e então, se houver tigres e ursos por lá, eles farão pedacinhos do meu bebê e vão comê-lo!

— Existem tigres e ursos nessa vizinhança? — perguntou o Mágico.

— Nunca ouvi falar de nenhum — reconheceu a mulher —, mas se houver...

— Você tem alguma intenção de jogar seu bebê pela janela? — perguntou o homenzinho.

— Nenhuma — disse ela —, mas e se...

— Todos os seus problemas estão relacionados com o "se" — declarou o Mágico. — Se você não fosse uma Flutterbudget não iria se preocupar.

— Mas tem mais um "se" — respondeu a mulher. — Você também é um Flutterbudget?

— Vou acabar virando se ficar muito tempo por aqui — exclamou o Mágico, nervoso.

— Mais um "se"! — gritou a mulher.

Mas o Mágico não parou para argumentar com ela. Ele fez o Cavalete galopar morro abaixo, e só respirou tranquilamente quando estavam a quilômetros da vila.

Depois de terem viajado em silêncio por um tempo Dorothy virou-se para o homenzinho e perguntou:

— As pessoas que pensam tanto no "se" realmente se tornam Flutterbudgets?

— Acho que os "se" ajudam — respondeu ele, com seriedade. — Medos bobos e preocupações sem motivo, com uma mistura de nervosismo e "se", e logo qualquer um vira um Flutterbudget.

Houve então mais um longo momento de silêncio, pois todos os viajantes estavam pensando nisso e praticamente todos acharam que aquilo era verdade.

As terras por onde passavam agora estavam coloridas de roxo, a cor predominante do País dos Gillikin, mas enquanto o Cavalete subia a colina eles descobriram que do outro lado tudo tinha uma forte tonalidade amarela.

— Ahá! — gritou o Capitão General. — Lá está o País dos Winkies. Estamos cruzando a fronteira.

— Vamos conseguir almoçar com o Homem de Lata — anunciou o Mágico, alegre.

— Vamos almoçar em latas? — perguntou a tia Em.

— Ah, não — respondeu Dorothy. — Nick Chopper sabe receber as pessoas, e ele nos dará muitas coisas boas para comer, não tenha medo. Já estive em seu castelo outras vezes.

— Nick Chopper é o nome do Homem de Lata? — perguntou o tio Henry.

— Sim; esse é um de seus nomes — respondeu a garotinha. — Um outro nome pelo qual é chamado é Imperador dos Winkies. Ele é o rei dessas terras, sabe, mas Ozma é quem governa todas as terras de Oz.

— E esse Homem de Lata hospeda algum Flutterbudget ou Rigmarole em seu castelo? — perguntou a tia Em, incomodada.

— Não — disse Dorothy. — Ele mora em um castelo de lata novo, repleto de coisas adoráveis.

— Na minha cabeça esse castelo enferrujaria — disse o tio Henry.

— Ele tem a ajuda de milhares de Winkies para mantê-lo polido — explicou o Mágico. — Seu povo adora fazer qualquer coisa para seu amado Imperador e por isso não existe nem um pontinho de ferrugem em todo o seu grande castelo.

— Acho que devem polir o Imperador também — disse a tia Em.

— Ora, algum tempo atrás ele foi banhado a níquel — respondeu o Mágico. — Por isso ele só precisa ser polido de vez em quando. Ele é o homem mais brilhante do mundo, o querido Nick Chopper, e o que tem o melhor coração.

— Eu ajudei a encontrá-lo — disse Dorothy, pensativa. — Um dia, o Espantalho e eu encontramos o Homem de Lata na floresta, e ele estava tão enferrujado naquela época que não conseguia se mover. Mas colocamos óleo em suas juntas e o deixamos em bom estado e todo escorregadio, e depois disso ele foi conosco atrás do Mágico na Cidade das Esmeraldas.

— Foi nessa época que o Mágico deixou vocês com medo? — perguntou a tia Em.

— Ele não nos tratou muito bem no começo — reconheceu Dorothy. — Ele nos fez ir atrás da Bruxa Má e destruí-la. Mas depois descobrimos que ele era apenas um impostor e não tivemos mais medo dele.

O Mágico suspirou e parecia um pouco envergonhado.

— Quando tentamos enganar as pessoas sempre cometemos erros — disse ele. — Mas já estou quase me tornando um mágico de verdade agora, e a magia da Glinda, a Boa, que estou tentando praticar, nunca fará mal a ninguém.

— Você sempre foi um bom homem — declarou Dorothy —, mesmo quando era um mágico ruim.

— Ele é um bom mágico agora — observou a tia Em, olhando admirada para o homenzinho. — Aquelas cabanas que ele fez surgir daqueles lenços eram maravilhosas! E não foi ele também quem encantou as rodas da carroça para encontrarmos o caminho?

— Todo o povo de Oz — disse o Capitão General — tem muito orgulho do Mágico. Um dia ele fez umas bolhas de sabão que deixaram todo mundo admirado.

O Mágico enrubesceu com aquele elogio, mas ficou feliz com ele. Ele não estava mais triste e parecia ter recuperado seu bom humor.

As terras pelas quais andavam agora eram repletas de casas, e grama amarela crescia nos campos. Era possível ver muitos dos Winkies trabalhando em suas fazendas e as partes selvagens e desabitadas de Oz a essa hora já haviam ficado bem para trás.

Os Winkies pareciam ser pessoas felizes e de bom coração, e todos tiravam seus chapéus e faziam reverência quando a carroça vermelha com seu grupo de viajantes passava.

Não demorou muito para verem algo brilhando à luz do sol à frente deles.

— Veja — exclamou Dorothy. — Aquele é o Castelo de Lata, tia Em!

E o Cavalete, sabendo que seus passageiros estavam ansiosos por chegar lá, saiu em disparada e logo os levou até seu destino.

CAPÍTULO 24
QUANDO O HOMEM DE LATA CONTOU A NOTÍCIA TRISTE

O Homem de Lata recebeu o grupo que acompanhava a Princesa Dorothy com muita elegância e cordialidade, mas mesmo assim a garotinha percebeu que alguma coisa preocupava seu velho amigo, pois ele não estava tão feliz como de costume.

Mas no começo ela não disse nada sobre isso, pois o tio Henry e a tia Em estavam bastante admirados com o lindo castelo e com seu proprietário brilhante. Por isso sua suspeita de que algo desagradável acontecera foi deixada de lado por um tempo.

— Onde está o Espantalho? — perguntou ela, quando todos foram levados para a grande sala de estar do castelo e o Cavalete foi conduzido para o estábulo de lata nos fundos do castelo.

— Ora, nosso velho amigo acabou de se mudar para sua nova mansão — explicou o Homem de Lata. — Faz tempo que ela está sendo construída, embora meus Winkies e muitas outras pessoas de todas as partes do país estivessem ocupados trabalhando nela há algum tempo. Finalmente, porém, ela ficou pronta e o Espantalho tomou posse de sua nova casa dois dias atrás.

— Não sabia que ele queria ter sua casa própria — disse Dorothy. — Por que ele não mora com Ozma na Cidade das Esmeraldas? Ele costumava morar lá, não é? Achei que ele era feliz morando lá.

— Parece — disse o Homem de Lata — que nosso querido Espantalho não consegue ficar feliz com a vida na cidade, por mais bonita que seja a região. Ele era um fazendeiro, e passou o início de sua vida no campo de milho, onde tinha como responsabilidade espantar os corvos.

— Eu sei — disse Dorothy, assentindo com a cabeça. — Fui eu quem o encontrei e o tirei do mastro.

— Então agora, depois de morar tanto tempo na Cidade das Esmeraldas, ele resolveu voltar para a vida na fazenda — continuou o Homem de Lata. — Ele acha que não consegue ser feliz sem ter a sua própria fazenda, por isso Ozma lhe deu um pedaço de terra e todos o ajudaram a construir sua mansão, e agora ele está instalado lá para sempre.

— Quem desenhou a casa dele? — perguntou o Homem-Farrapo.

— Acho que foi Jack, Cabeça de Abóbora, que também é fazendeiro — foi a resposta.

Eles foram então convidados a entrar na sala de jantar de lata, onde o almoço estava servido.

Tia Em viu, para sua alegria, que a promessa de Dorothy fora mais do que cumprida, pois, embora o Homem de Lata não tenha apetite, ele respeitava o apetite de seus convidados e cuidava para que eles fossem bem alimentados.

O grupo passou a tarde andando pelos lindos jardins e terrenos do palácio. As calçadas eram pavimentadas com placas de lata, muito bem polidas, e havia fontes de lata e estátuas de lata aqui e acolá, entre as árvores. As flores eram em sua maioria flores naturais e cresciam da maneira usual, mas o anfitrião mostrou a eles uma floreira que era seu maior orgulho.

— Vejam só, com o tempo todas as flores murcham e morrem — explicou ele. — E existem estações em que as lindas flores são raras. Por isso decidi fazer minha própria floreira de lata toda com flores de lata, e meus homens a criaram com uma habilidade rara. Aqui é possível ver camélias de lata, calêndulas de lata, cravos de lata, papoulas de lata e malvas-rosa de lata crescendo naturalmente como se fossem de verdade.

Realmente, era lindo de se ver, e brilhavam sob a luz do sol como se fossem feitas de prata.

— Essa malva-rosa de lata não está brotando? — perguntou o Mágico, inclinando-se sobre as flores.

— Ora, acho que sim! — exclamou o Homem de Lata, como se estivesse surpreso. — Não tinha reparado nisso. Mas vou plantar as mudas e criar uma outra roseira de malvas-rosa.

Em um canto dos jardins Nick Chopper colocara um lago no qual era possível ver vários peixinhos nadando e se divertindo.

— Eles morderiam as iscas? — perguntou tia Em, curiosa.

O Homem de Lata pareceu se chatear com a pergunta.

— Madame — disse ele — a senhora acha que eu permitiria que alguém pescasse meus lindos peixes, mesmo que eles fossem tolos o suficiente para morder a isca? Não mesmo! Cada criatura está segura contra qualquer mal dentro de meus domínios, e eu não pensaria em matar minha amiguinha Dorothy assim como não mataria nenhum de meus peixes de lata.

— O Imperador tem um coração muito bom, madame — explicou o Mágico. — Se uma mosca pousar em seu corpo de lata ele não a espanta bruscamente, como algumas pessoas costumam fazer; ele pede com educação para que ela encontre um outro lugar para descansar.

— E o que a mosca faz? — perguntou a tia Em.

— Normalmente, ela se desculpa e vai embora — disse o Mágico, com a voz séria. — Moscas gostam de ser tratadas com educação tanto quanto qualquer outra criatura, e aqui em Oz elas entendem o que dizemos a elas e se comportam muito bem.

— Ora — disse a tia Em —, as moscas no Kansas, de onde eu venho, não entendem nada além de uma boa raquetada. É preciso bater nelas para fazer com que elas se comportem; e o mesmo acontece com os mosquitos. Vocês têm mosquitos aqui em Oz?

— Temos alguns mosquitos bastante grandes aqui, que cantam tão lindamente quanto os pássaros — respondeu o Homem de Lata. — Mas eles nunca picam ou incomodam as pessoas, porque são bem alimentados e cuidados. No seu país eles mordem as pessoas porque sentem fome – pobres criaturas!

— Sim — concordou a tia Em. — Eles sentem fome, isso é verdade. E se alimentam de qualquer coisa. Fico feliz em saber que os mosquitos de Oz são educados.

Naquela noite, depois do jantar, eles foram entretidos pela Banda de Cornetas de Lata do Imperador, que tocou várias melodias agradáveis. O Mágico também fez alguns truques para divertir o grupo; e depois disso todos se retiraram para seus quartos aconchegantes e dormiram pesado até o amanhecer.

No café da manhã Dorothy disse ao Homem de Lata:

— Se você nos ensinar o caminho, gostaríamos de ir visitar o Espantalho na volta para casa.

— Eu vou com vocês e lhes mostrarei o caminho — respondeu o Imperador. — Preciso mesmo ir para a Cidade das Esmeraldas hoje.

Ele parecia tão ansioso ao dizer isso que a garotinha perguntou:

— Tem alguma coisa acontecendo com a Ozma?

Ele balançou a cabeça.

— Ainda não — disse ele. — Mas receio que chegou a hora de eu lhe contar notícias muito ruins, minha amiga.

— Ah, o que aconteceu?

— Você se lembra do Rei Nomo? — perguntou o Homem de Lata.

— Eu me lembro muito bem dele — respondeu ela.

— O Rei Nomo não tem um bom coração — disse o Imperador, com tristeza —, e começou a bolar planos malignos de vingança, porque um dia nós o derrotamos, libertamos seus escravos e você pegou seu Cinto Mágico. Então ele ordenou que seus Nomos construíssem um longo túnel embaixo do deserto mortal para levar seu exército até a Cidade das Esmeraldas. Quando chegar lá, ele pretende destruir nosso lindo país.

Dorothy estava bastante surpresa ao ouvir aquilo.

— Como foi que Ozma descobriu sobre o túnel? — perguntou ela.

— Ela viu no Quadro Mágico.

— Claro — disse Dorothy. — Eu devia ter imaginado. E o que ela vai fazer?

— Não sei dizer — foi a resposta.

— Bah! — exclamou a Galinha Amarela. — Não temos medo dos Nomos. Se colocarmos nossos ovos no túnel eles vão voltar correndo para casa o mais rápido que conseguirem.

— Ora, isso é verdade! — exclamou Dorothy. — Uma vez o Espantalho conquistou todo o exército Nomo com os ovos da Billina.

— Mas vocês não conhecem toda a terrível história — continuou o Homem de Lata. — O Rei Nomo é esperto, e sabe que seus Nomos fugiriam dos ovos; então ele barganhou muitas criaturas terríveis para ajudá-lo. Esses espíritos do mal não têm medo de ovos nem de nada mais, e são muito poderosos. O Rei Nomo vai enviá-los pelo túnel primeiro, para conquistar e destruir nossas terras, e então os Nomos virão atrás para pegar sua porção de tesouros e escravos.

Todos ficaram assustados ao ouvir isso, e todos os rostos carregavam uma expressão de preocupação.

— O túnel já está pronto? — perguntou Dorothy.

— Ozma me enviou uma mensagem ontem dizendo que o túnel já estava completo exceto por uma pequena parte de terra no final. Quando nossos inimigos quebrarem essa parte estarão nos jardins do palácio real, no coração da Cidade das Esmeraldas. Ofereci meu exército e o povo Winkies para ajudar Ozma, mas ela recusou.

— E por quê? — perguntou Dorothy.

— Ela disse que todos os habitantes de Oz, reunidos, não têm poder o suficiente para lutar e vencer as forças do mal do rei Nomo. Por isso, ela se recusa a lutar.

— Mas eles vão nos capturar e nos escravizar, e vão nos saquear e destruir nossa adorável terra! — exclamou o Mágico, bastante incomodado com aquela afirmação.

— Receio que sim — disse o Homem de Lata, com tristeza. — E também receio que aqueles que não são encantados, como o Mágico, Dorothy e seu tio e tia, assim como Totó e Billina, serão mortos pelos conquistadores.

— O que pode ser feito? — perguntou Dorothy, estremecendo um pouco ao ouvir sobre seu terrível destino.

— Nada pode ser feito! — respondeu o Imperador dos Winkies bastante chateado. — Mas, como Ozma recusou meu exército, eu vou até a Cidade das Esmeraldas. O mínimo que posso fazer é perecer ao lado de minha adorável Governante.

CAPÍTULO 25
QUANDO O ESPANTALHO DEMONSTROU SUA SABEDORIA
(Provavelmente o homem mais sábio de toda Oz)

Aquela impressionante notícia entristeceu o coração de todos, que agora estavam ansiosos para voltar para a Cidade das Esmeraldas e ficar ao lado de Ozma para enfrentar seu destino. O grupo decidiu então retomar a viagem sem perder tempo, e como a estrada passava pela nova mansão do Espantalho eles decidiram que fariam uma rápida parada lá para conversar com ele.

— O Espantalho é, provavelmente, o homem mais sábio de toda Oz — observou o Homem de Lata, quando retomaram a jornada. — Ele é repleto de miolos e eles são de excelente qualidade. Ele normalmente me diz coisas que eu mesmo nunca pensei. Devo dizer que confio bastante nos miolos do Espantalho para situações de emergência como esta.

O Homem de Lata estava no assento da frente da carroça, onde Dorothy também estava sentada, entre ele e o Mágico.

— O Espantalho já soube do problema de Ozma? — perguntou o Capitão General.

— Não sei, senhor — foi a resposta.

— Quando eu era um soldado — disse Omby Amby — eu era um excelente soldado, e pude provar isso em nossa guerra contra os Nomos. Mas agora não há um único soldado em nosso exército, pois Ozma me tornou Capitão General, e assim não há ninguém para lutar e defender nossa adorável Governante.

— Verdade — disse o Mágico. — O exército hoje é composto apenas por oficiais, e o serviço de um oficial é dar ordens a seus homens para lutar. Como não existem homens, não poderá haver luta.

— Pobre Ozma! — sussurrou Dorothy, com lágrimas em seus doces olhos. — É terrível pensar em todo o seu adorável país sendo destruído. Eu me pergunto se não conseguiríamos fugir e voltar para o Kansas usando o Cinto Mágico. E talvez seja possível levar Ozma conosco e todos trabalharmos para conseguir dinheiro para ela, e assim ela não ficaria *tão* triste e solitária por perder suas terras.

— Você acha que teria algum trabalho para *mim* no Kansas? — perguntou o Homem de Lata.

— Se você for oco, podem usar você em uma fábrica de latas — sugeriu o tio Henry. — Mas não sei por que você precisa trabalhar para sobreviver. Você não come, não dorme e não precisa de roupas.

— Eu não estava pensando em mim — respondeu o Imperador, com dignidade. — Simplesmente fiquei imaginando se poderia ajudar a sustentar Dorothy e Ozma.

Enquanto vagavam nesses tristes planos para o futuro avistaram a nova mansão do Espantalho e embora estivesse bastante preocupada com o futuro de Oz, Dorothy não pôde deixar de se maravilhar com a visão que teve.

A nova casa do Espantalho tinha o formato de uma enorme espiga de milho. Os grãos de milho eram feitos de ouro, e o verde sobre cada grão era uma massa de esmeraldas brilhantes. Sobre o topo da estrutura havia uma criatura representando o próprio Espantalho, e sobre seus braços estendidos, assim como sobre sua cabeça, havia vários corvos esculpidos em ébano e com olhos de rubi. É possível imaginar o tamanho dos grãos de milho quando lhes digo que um único grão formava uma janela, balançando para fora nas dobradiças, enquanto uma fileira de quatro grãos se abria para formar a entrada da frente. Dentro da casa havia cinco andares, e cada andar tinha um único cômodo.

Os jardins em volta da mansão eram campos de milho, e Dorothy sabia que o lugar era, em todos os sentidos, um lar bastante apropriado para seu bom amigo, o Espantalho.

— Ele teria sido bastante feliz aqui, tenho certeza — disse ela. — Se o rei Nomo nos deixasse em paz. Mas, se Oz for destruída é claro que esse lugar será destruído também.

— Sim — respondeu o Homem de Lata. — Assim como meu lindo castelo, que é minha alegria e orgulho.

— A casa de Jack, Cabeça de Abóbora, será destruída também — observou o Mágico. — Assim como o Colégio de Esportes do Professor Besourão, e o palácio real de Ozma, e todos os outros lindos edifícios.

— Sim, Oz realmente se tornará um deserto quando o rei Nomo tomar conta dela — suspirou Omby Amby.

O Espantalho veio recebê-los de maneira calorosa.

— Ouvi dizer que você decidiu viver na Terra de Oz para sempre — disse ele para Dorothy. — E isso alegra meu coração, pois sempre detestei as suas partidas. Mas por que vocês estão tão desanimados?

— Você ainda não soube da notícia? — perguntou o Homem de Lata.

— Nenhuma notícia me deixa triste — respondeu o Espantalho.

Nick Chopper então contou ao amigo sobre o túnel do Rei Nomo e sobre como as criaturas do mal do Norte haviam se aliado ao monarca subterrâneo com o propósito de conquistar e destruir Oz.

— Bem — disse o Espantalho — isso certamente parece ser ruim para Ozma e para todos nós. Mas acredito que seja errado nos preocuparmos com alguma coisa antes que ela aconteça. Certamente teremos tempo o suficiente para ficarmos tristes quando nosso país for destruído e nosso povo for escravizado. Por isso, não vamos nos privar de um pouco de felicidade nas horas que nos restam.

— Ah, isso sim é sabedoria — declarou o Homem-Farrapo. — Quando estivermos bastante tristes vamos nos arrepender de termos passado essas horas que nos restam assim, a menos que as aproveitemos ao máximo.

— De qualquer maneira — disse o Espantalho — vou com vocês até a Cidade das Esmeraldas para oferecer minha ajuda para Ozma.

— Ela diz que não podemos fazer nada para lutar contra nossos inimigos — anunciou o Homem de Lata.

— E sem dúvidas ela está certa, senhor — respondeu o Espantalho. — Ainda assim, ela vai gostar de nossa companhia, e é dever dos amigos de Ozma ficarem ao seu lado quando o desastre final acontecer.

Ele então os levou para dentro de sua estranha mansão e mostrou a eles os lindos cômodos de todos os cinco andares. No andar de baixo havia um grande salão de festas, com um grande órgão colocado em um canto. Com esse instrumento o Espantalho podia se divertir quando estava sozinho, pois ele gostava bastante de música. As paredes eram cobertas por seda branca, sobre as quais bandos de corvos pretos estavam bordados com diamantes pretos. Algumas cadeiras tinham o formato de grandes corvos e eram estofadas com almofadas cor de milho.

No segundo andar ficava uma agradável sala de jantar, onde o Espantalho podia entreter seus convidados, e os três andares de cima eram onde tinham os aposentos refinadamente mobiliados e decorados.

— Desses aposentos — disse o Espantalho, orgulhoso —, é possível ter uma ótima vista dos campos de milho que cercam a mansão. O milho que eu planto é sempre robusto, e chamo os grãos de meus regimentos, pois eles têm muitos flocos. Claro que não posso montar em minhas espigas, mas realmente não ligo para isso. Contando tudo, minha fazenda produz o mesmo que qualquer outra na região.

Os visitantes tomaram um pouco de refresco e então se apressaram a retomar sua viagem para a Cidade das Esmeraldas. O Espantalho ocupou um lugar na carroça entre Omby Amby e o Homem-Farrapo, e seu peso não adicionou muita carga, pois ele era feito de palha.

— Vocês vão ver que tenho um campo de aveia na minha propriedade — observou ele, enquanto partiam. — Descobri que as palhas de aveia são as melhores palhas para rechear meu corpo quando meu interior fica mofado ou fora de forma.

— Você é capaz de rechear seu corpo sem precisar de ajuda? — perguntou a tia Em. — Eu achei que depois que a palha fosse retirada de dentro de seu corpo não sobraria nada além das suas roupas.

— Você está quase certa, madame — respondeu ele. — Meus serviçais recheiam meu corpo, sob minha orientação. Pois minha cabeça, que tem excelentes miolos, é um saco fechado até em cima. Meu rosto é muito bem desenhado em um lado desse saco, como a senhora pode ver. Minha cabeça não precisa ser recheada, como acontece com o meu corpo, pois só é necessário ter meu rosto retocado com tinha fresca ocasionalmente.

A mansão do Espantalho não era muito longe da fazenda de Jack, Cabeça de Abóbora, e quando chegaram lá o tio Henry e a tia Em ficaram bastante impressionados. A fazenda ficava em um vasto campo de abóbora, e algumas das abóboras tinham um tamanho enorme. Em uma delas, que havia sido cavada com cuidado, vivia Jack, e ele disse que era uma residência bastante confortável. A razão por ele cultivar tantas abóboras era para conseguir trocar sua cabeça sempre que ela ficasse enrugada ou ameaçasse apodrecer.

O Cabeça de Abóbora recebeu seus visitantes com alegria e ofereceu a eles deliciosas tortas de abóbora para comer.

— Eu mesmo não como tortas de abóbora por dois motivos — disse ele. — Um deles é que se eu comesse abóboras eu me tornaria um canibal, e o outro é que eu nunca como, pois meu interior é oco.

— Muito boas razões — concordou o Espantalho.

Eles contaram a Jack, Cabeça de Abóbora, a terrível notícia sobre o Rei Nomo e ele decidiu ir com eles para a Cidade das Esmeraldas para confortar Ozma.

— Eu esperava morar aqui com tranquilidade e conforto por muitos séculos — disse Jack, com tristeza. — Mas claro que se o Rei Nomo destruir tudo em Oz eu serei destruído também. Realmente, isso parece ser muito ruim, não é?

Eles logo retomaram sua jornada e o Cavalete levou a carroça sobre a estrada bem pavimentada com tamanha rapidez que antes do entardecer o grupo já estava no palácio na Cidade das Esmeraldas, onde sua jornada chegava ao fim.

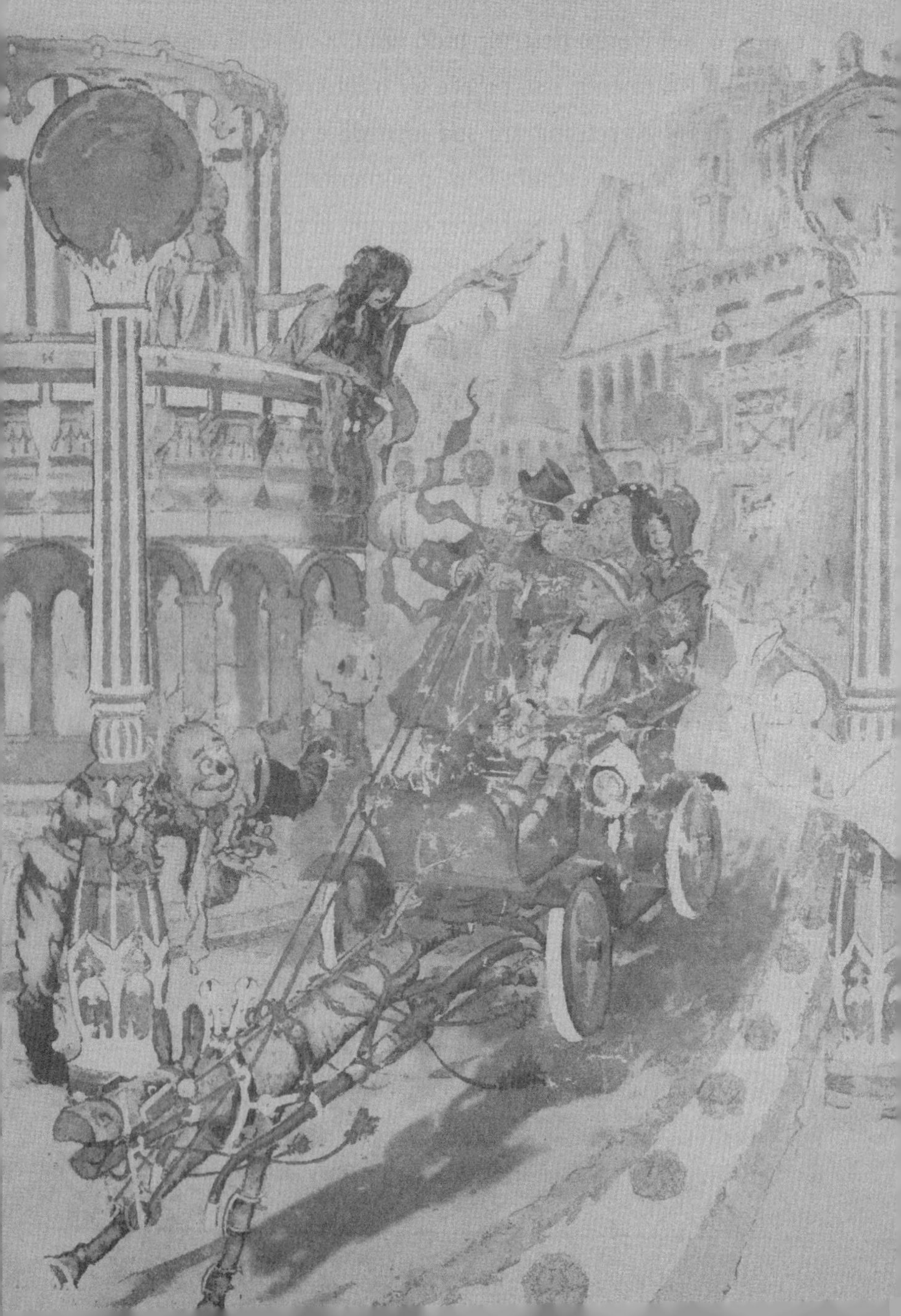

CAPÍTULO 26
QUANDO OZMA SE RECUSOU A LUTAR POR SEU REINO

Ozma estava em seu jardim de rosas apanhando flores para um buquê quando o grupo chegou e ela cumprimentou todos os seus velhos e novos amigos sorridente e com a doçura de sempre.

Os olhos de Dorothy estavam cheios de lágrimas quando ela beijou a adorável Governante de Oz e suspirou para ela:

— Ah, Ozma, Ozma! Eu sinto *tanto*.

Ozma pareceu surpresa.

— Sente por quê, Dorothy? — perguntou ela.

— Por todos os seus problemas com o Rei Nomo — foi a resposta.

Ozma riu, genuinamente divertindo-se.

— Ora, eu não estou nem um pouco preocupada, minha querida Princesa — respondeu ela.

E então, olhando em volta para os rostos tristes de seus amigos, acrescentou:

— Todos vocês tão preocupados com esse túnel?

— Sim! — exclamaram todos em coro.

— Ora, talvez seja um problema mais sério do que imaginei — admitiu a justa Governante. — Mas eu não me preocupei muito com o assunto. Depois do jantar vamos nos reunir e conversar sobre isso.

Assim, todos foram para seus aposentos para se prepararem para o jantar, e Dorothy colocou seu vestido mais bonito e sua tiara, pois pensou que essa poderia ser a última vez que ela apareceria como Princesa de Oz.

O Espantalho, o Homem de Lata e Jack, Cabeça de Abóbora, estavam todos sentados à mesa de jantar, embora nenhum deles pudesse comer. Normalmente eles animavam as refeições com sua conversa agradável, mas nesta noite todos estavam estranhamente em silêncio e incomodados.

Logo que terminaram o jantar Ozma levou o grupo para seu aposento particular, onde ficava o Quadro Mágico. Quando todos se sentaram, o Espantalho foi o primeiro a falar.

— O túnel do Rei Nomo já está terminado, Ozma? — perguntou ele.

— Foi terminado hoje — respondeu ela. — Eles o construíram bem debaixo das terras do meu palácio, e ele se abre em frente à Fonte Proibida. Restou apenas uma ponta de terra para separar nossos inimigos de nós, e quando eles marcharem para cá tirarão com facilidade esse pedacinho de terra e nos atacarão.

— Quem vai ajudar o Rei Nomo? — perguntou o Espantalho.

— Os Whimsies, os Growleywogs e os Fanfasmos — respondeu ela. — Eu vi hoje em meu Quadro Mágico os mensageiros que o Rei Nomo enviou para esse povo chamando-os para se reunirem em sua grande caverna.

— Vamos ver o que eles estão fazendo agora — sugeriu o Homem de Lata.

Assim, Ozma pediu para ver a caverna do Rei Nomo, e rapidamente a paisagem do quadro desapareceu e em seu lugar foi vista a cena que acontecia na caverna repleta de joias do Rei Roquat.

O que o povo de Oz viu foi uma cena selvagem e surpreendente.

Perante o Rei Nomo estava o Chefe dos Whimsies e o Grande Galipoot dos Growleywogs, cercados por seus generais mais habilidosos. Eles pareciam bastante ferozes e poderosos e até mesmo o Rei Nomo e o General Guph, que estava ao lado de seu mestre, pareciam um pouco receosos com a presença dos aliados.

Neste momento uma criatura ainda mais formidável entrou na caverna. Era o Primeiro e Mais Importante dos Fanfasmos e ele orgulhosamente sentou-se no trono do Rei Roquat e exigiu o direito de liderar suas forças pelo túnel antes de todos os outros. O Primeiro e Mais Importante agora tinha o seu corpo peludo e, para todos que o viam, usava a cabeça de urso. Sua verdadeira aparência era desconhecida até mesmo do Rei Roquat.

Pelos arcos que levavam para as vastas séries de cavernas que ficavam além da sala do trono do Rei Roquat era possível ver filas e filas de invasores – milhares de Fanfasmos, Growleywogs e Whimsies todos em filas, enquanto ao lado deles estavam também grupos de milhares e mais milhares de homens do próprio exército do General Guph.

— Ouçam! — sussurrou Ozma. — Acho que conseguimos ouvir o que eles estão dizendo.

Eles então ficaram em silêncio e ouviram.

— Está tudo pronto? — perguntou o Primeiro e Mais Importante, arrogante.

— O túnel está finalmente terminado — respondeu o General Guph.

— Quanto tempo levaremos para chegar até a Cidade das Esmeraldas? — perguntou o Grande Gallipoot dos Growleywogs.

— Se partirmos à meia-noite — respondeu o Rei Nomo — devemos chegar à Cidade das Esmeraldas ao raiar do dia. Assim, enquanto todo o povo de Oz estiver dormindo, conseguiremos capturá-los e fazê-los nossos escravos. Depois disso destruiremos a cidade e marcharemos pela Terra de Oz, queimando e devastando todo o território por onde passarmos.

— Ótimo! — gritou o Primeiro e Mais Importante. — Quando chegarmos em Oz será uma selvageria geral. A Ozma será minha escrava.

— Ela será *minha* escrava! — gritou o Grande Gallipoot, bravo.

— Vamos decidir isso aos poucos — disse o Rei Roquat, rapidamente. — Não vamos brigar agora, amigos.

Primeiro vamos conquistar Oz, e então dividiremos nossas conquistas de maneira satisfatória.

O Primeiro e Mais Importante sorriu maliciosamente, mas disse apenas:

— Meus Fanfasmos e eu vamos primeiro, pois nada na terra pode enfrentar nossa força.

Todos concordaram com aquilo, sabendo que os Fanfasmos eram os mais poderosos de todas as forças ali presentes. O Rei Roquat convidou-os então para um banquete que preparara, e lá eles se ocuparam comendo e bebendo esperando pela chegada da meia-noite.

Como agora já tinham visto e ouvido todo o plano com o qual estavam bastante preocupados, Ozma autorizou o Quadro Mágico a parar de mostrar a imagem. Virou-se então para seus amigos e disse:

— Nossos inimigos chegarão aqui antes do que eu esperava. O que vocês me aconselham a fazer?

— Agora é tarde demais para reunirmos nosso povo — disse o Homem de Lata, desanimado. — Se você tivesse permitido que eu trouxesse meu exército e tivesse convocado os Winkies, talvez conseguíssemos lutar e destruir muitos de nossos inimigos antes de sermos conquistados.

— Os Munchkins também são bons guerreiros — disse Omby Amby —, assim como os Gillikins.

— Mas eu não quero lutar — declarou Ozma, com firmeza. — Ninguém tem o direito de destruir criaturas que têm vida, por pior que elas sejam, ou magoá-las e torná-las infelizes. Eu não vou lutar – nem mesmo para salvar meu reino.

— O Rei Nomo não é muito específico — observou o Espantalho. — Ele pretende destruir todos nós e acabar com nossas lindas terras.

— O fato de o Rei Nomo querer nos fazer mal não é desculpa para eu agir da mesma maneira — respondeu Ozma.

— A autopreservação é a primeira lei da natureza — observou o Homem-Farrapo.

— Verdade — respondeu ela, rapidamente. — Gostaria de ter um plano para nos salvar sem precisarmos lutar.

Aquilo parecia uma tarefa impossível, mas ao perceber que Ozma estava determinada a não lutar eles tentaram pensar em alguma maneira de escapar daquilo.

— E se subornássemos nossos inimigos, dando a eles uma boa quantia de esmeraldas e ouro? — perguntou Jack, o Cabeça de Abóbora.

— Não, porque eles acreditam que vão conseguir pegar tudo o que temos — respondeu a Governante.

— Eu pensei em uma coisa — disse Dorothy.

— O que você pensou, querida? — perguntou Ozma.

— Vamos usar o Cinto Mágico para levar todos nós para o Kansas. Colocamos algumas esmeraldas em nossos bolsos e podemos vendê-las em Topeka conseguindo dinheiro o suficiente para pagar a hipoteca da fazenda do tio Henry. E então vivemos juntos e felizes.

— Uma ideia inteligente! — exclamou o Espantalho.

— O Kansas é um lugar muito bom. Já estive lá — disse o Homem-Farrapo.

— Isso me parece um excelente plano — concordou o Homem de Lata.

— Não! — disse Ozma, decidida. — Nunca abandonarei meu povo e não vou deixá-los aqui para enfrentar um destino tão cruel. Usarei o Cinto Mágico para enviar todos vocês para o Kansas, se quiserem, mas se minhas terras adoradas serão destruídas e meu povo será escravizado eu ficarei aqui para enfrentar esse destino com eles.

— Está correta — observou o Espantalho, suspirando. — Vou ficar com você.

— E eu também — declarou o Homem de Lata, o Homem-Farrapo e Jack, Cabeça de Abóbora.

Tiktok, o homem mecânico, também disse que pretendia ficar com Ozma.

— Pois — disse ele —, não terei nenhuma serventia no Kansas.

— De minha parte — anunciou Dorothy, séria — se a Governante de Oz não deve abandonar seu povo, a Princesa de Oz não tem direito nenhum de fugir também. Ficarei aqui para me tornar uma escrava como todos vocês; então só o que posso fazer com o Cinto Mágico é usá-lo para enviar o tio Henry e a tia Em de volta para o Kansas.

— Eu fui escrava a minha vida toda — disse a tia Em, com considerável alegria — e o Henry também. Acho que não queremos voltar para o Kansas, de qualquer maneira. Prefiro correr o risco e ficar aqui com vocês.

Ozma sorriu agradecida para eles.

— Não há necessidade de se desesperar — disse ela. — Eu vou acordar cedo amanhã de manhã e estarei na Fonte Proibida quando os guerreiros ferozes saírem do fundo da terra. Vou conversar com eles de maneira amigável e talvez eles não sejam tão maus, afinal.

— Por que a fonte é chamada de Fonte Proibida? — perguntou Dorothy, pensativa.

— Você não sabe, querida? — perguntou Ozma, surpresa.

— Não — respondeu Dorothy. — É claro que já vi a fonte nas terras do palácio, desde que vim para Oz pela primeira vez. E já li várias placas dizendo "Todas as pessoas estão proibidas de beber água desta fonte". Mas nunca soube *por que* ela é proibida. A água parece clara e limpa e borbulha o tempo todo.

— Aquela água — declarou Ozma, com seriedade — é a coisa mais perigosa em toda a Terra de Oz. É a Água do Esquecimento.

— O que isso significa? — perguntou Dorothy.

— Quem quer que beba a água da Fonte Proibida se esquece de tudo o que sabia — garantiu Ozma.

— Não seria uma forma ruim de esquecer de nossos problemas — sugeriu o tio Henry.

— Isso é verdade, mas você se esquece de todo o resto também, e se torna tão ignorante quanto um bebê — acrescentou Ozma.

— E isso deixa a pessoa enlouquecida? — perguntou Dorothy.

— Não, só a torna esquecida — respondeu a garota Governante. — Dizem que um dia – muito, muito tempo atrás – um Rei mal governou Oz, e ele e seu povo eram muito infelizes. Então, Glinda, a Boa Feiticeira, colocou essa fonte aqui, e o Rei bebeu sua água e esqueceu de sua maldade. Ele se tornou inocente e despreocupado, e quando aprendeu as coisas da vida de novo, tudo o que aprendeu era bom. Mas o povo se lembrava de como ele fora mal, e ainda tinham medo dele. Ele então fez com que todos bebessem a Água do Esquecimento e se esquecessem de tudo o que sabiam, e assim o povo se tornou tão simples e inocente quanto seu Rei. Depois disso todos se tornaram sábios juntos e sua sabedoria era boa, e então a paz e a felicidade reinaram na terra. Mas, com medo de que alguém bebesse da água novamente, e em um instante esquecesse de tudo o que aprendera, o Rei colocou aquela placa sobre a fonte, onde ela está há vários séculos, até hoje.

Todos ouviram com atenção a história de Ozma e quando ela terminou de falar houve um longo momento de silêncio enquanto todos pensavam sobre o curioso poder mágico da Água do Esquecimento.

Por fim, o rosto pintado do Espantalho formou um longo sorriso que esticou o tecido o mais que conseguiu.

— Como sou agradecido — disse ele — por ter miolos tão excelentes!

— Eu lhe dei os melhores miolos — declarou o Mágico, com um ar de orgulho.

— Você fez isso mesmo! — concordou o Espantalho — e eles trabalham tão bem que encontraram uma maneira de salvar Oz, de salvar a todos nós!

— Fico feliz em ouvir isso — disse o Mágico. — Nunca precisamos tanto salvar um povo como precisamos agora.

— Você quer dizer que consegue nos salvar daqueles terríveis Fanfasmos, Growleywogs e Whimsies? — perguntou Dorothy, ansiosa.

— Tenho certeza disso, minha querida — garantiu o Espantalho, sorrindo com cordialidade.

— Conte-nos como! — exclamou o Homem de Lata.

— Agora não — disse o Espantalho. — Vocês todos devem ir para a cama e, aconselho vocês a esquecerem completamente suas preocupações como se tivessem bebido a Água do Esquecimento na Fonte Proibida. Eu vou ficar aqui e vou contar meu plano para Ozma, mas se vocês puderem estar na Fonte Proibida ao raiar do dia, verão como vai ser fácil salvar nosso reino quando nossos inimigos cavarem o resto de terra e emergirem do túnel.

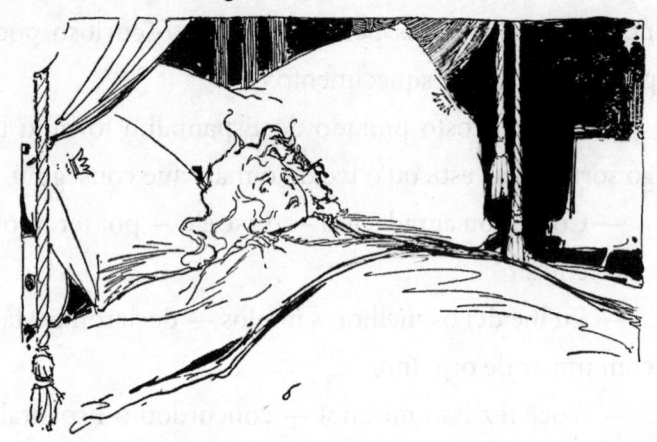

O grupo então se recolheu e deixou o Espantalho e Ozma sozinhos, mas Dorothy não conseguiu dormir a noite toda.

— Ele é apenas um Espantalho — disse ela para si mesma. — E não sei se seus miolos são tão bons quanto ele pensa que são.

Mas ela sabia que se o plano do Espantalho fracassasse eles estariam perdidos; por isso tentou ter fé no que ele pensara.

CAPÍTULO 27
QUANDO OS GUERREIROS FURIOSOS INVADIRAM OZ

O Rei Nomo e seus terríveis aliados ficaram sentados à mesa do banquete até meia-noite. Houve bastante discussão entre os Growleywogs e os Fanfasmos, um dos Whimsies cabeludos ficou bravo com o General Guph e o enforcou até ele quase parar de respirar. Ainda assim, ninguém ficou seriamente machucado e o Rei Nomo sentiu-se bastante aliviado quando o relógio deu as doze badaladas e todos se levantaram e pegaram suas armas.

— Ahá! — gritou o Primeiro e Mais Importante. — Vamos conquistar a Terra de Oz!

Ele ordenou que seus Fanfasmos formassem uma fila e ao seu comando eles marcharam para dentro do túnel e começaram a longa jornada até a Cidade das Esmeraldas. O Primeiro e Mais Importante pretendia pegar todo o tesouro de Oz para si; matar todos que conseguisse e escravizar o restante; destruir e acabar com todo o país e, depois, conquistar e escravizar os Nomos, os Growleywogs e os Whimsies. E ele sabia que seu poder era suficiente para permitir que ele fizesse tudo isso com facilidade.

Em seguida entrou no túnel o gigante exército dos Growleywogs, com seu Grande Gallipoot na frente. Eles eram seres terríveis, realmente, e desejavam chegar a Oz para começar a furtar e destruir tudo. O Grande Gallipoot tinha um pouco de medo do Primeiro e Mais Importante, mas tinha elaborado um astuto plano para assassinar ou destruir aquele ser poderoso e ficar com a riqueza de Oz para si. Muito pouco da pilhagem sobraria para o Rei Nomo, pensava o Grande Gallipoot.

O Chefe dos Whimsies agora marchava seu exército de cabeças falsas para dentro do túnel. Em sua cabecinha malvada havia um plano para destruir tanto o Primeiro e Mais Importante quanto o Grande Gallipoot. Ele pretendia deixar que os dois conquistassem Oz, pois eles insistiam em ir na frente, mas depois ele os destruiria, assim como ao Rei Roquat, e ficaria com todos os escravos e tesouros do reino de Ozma para si.

Depois que todos os aliados perigosos entraram no túnel, o Rei Nomo e o General Guph começaram a segui-los, à frente de cinquenta mil Nomos, todos bastante armados.

— Guph — disse o Rei —, essas criaturas à nossa frente querem nos trair. Eles pretendem ficar com tudo e nos deixar sem nada.

— Eu sei — respondeu o General. — Mas eles não são tão espertos quanto pensam. Quando você conseguir recuperar o Cinto Mágico precisa rapidamente desejar que o Whimsies, os Growleywogs e os Fanfasmos voltem para suas terras – e o Cinto certamente os levará para lá.

— Ótimo! — exclamou o Rei. — Excelente plano, Guph. Enquanto eles estiverem conquistando Oz eu pego o Cinto Mágico, e então apenas os Nomos permanecerão no lugar devastado.

Então, como vocês podem ver, existe apenas uma coisa com a qual todos concordavam: que Oz deveria ser destruída.

Sempre em frente, a vasta fila de invasores marchava, enchendo o túnel de ponta a ponta. Com passos regulares eles avançavam aproximando-se cada vez mais da linda Cidade das Esmeraldas.

— Nada pode salvar a Terra de Oz! — pensou o Primeiro e Mais Importante, carrancudo até que sua cabeça ficou tão preta quanto o túnel.

— A Cidade das Esmeraldas está acabada! — murmurou o Grande Gallipoot, sacudindo seu porrete de guerra ferozmente.

— Em poucas horas Oz será devastada! — disse o Chefe dos Whimsies, com uma risada sarcástica.

— Meu querido Guph — disse o Rei Nomo para seu General — finalmente minha vingança sobre Ozma de Oz e seu povo será realizada.

— Você está certo!— declarou o General. — Ozma está perdida.

E agora o Último e Mais Importante, que avançava e estava se aproximando da Cidade das Esmeraldas, começou a tossir e a fungar.

— Esse túnel está muito empoeirado — rosnou ele, bravo. — Vou punir aquele Rei Nomo por não o ter limpado. Minha garganta e meus olhos estão cheios de pó e estou sedento como um peixe!

O Grande Gallipoot tossia também, e sua garganta estava sedenta e seca.

— Que lugar empoeirado! — exclamou ele. — Ficarei feliz quando chegarmos a Oz, onde conseguirei beber alguma coisa.

— Quem tem água? — perguntou o Chefe dos Whimsie, tossindo. Mas ninguém de seus companheiros tinha uma gota de água sequer, então ele se apressou pelo túnel empoeirado em direção à Terra de Oz.

— De onde veio toda essa poeira? — perguntou o General Guph, que tentava engolir, mas não conseguia porque sua garganta estava muito seca.

— Eu não sei — respondeu o Rei Nomo. — Estive no túnel todos os dias enquanto ele estava sendo construído, mas nunca percebi todo esse pó antes.

— Vamos nos apressar! — gritou ou General. — Eu daria metade do ouro de Oz por um copo d'água.

A poeira ficava cada vez mais grossa, e as gargantas, olhos e narizes dos invasores estavam repletos dela. Mas nenhum deles parou ou voltou para trás. Todos se apressaram seguindo em frente com mais fúria e sentimento de vingança do que nunca.

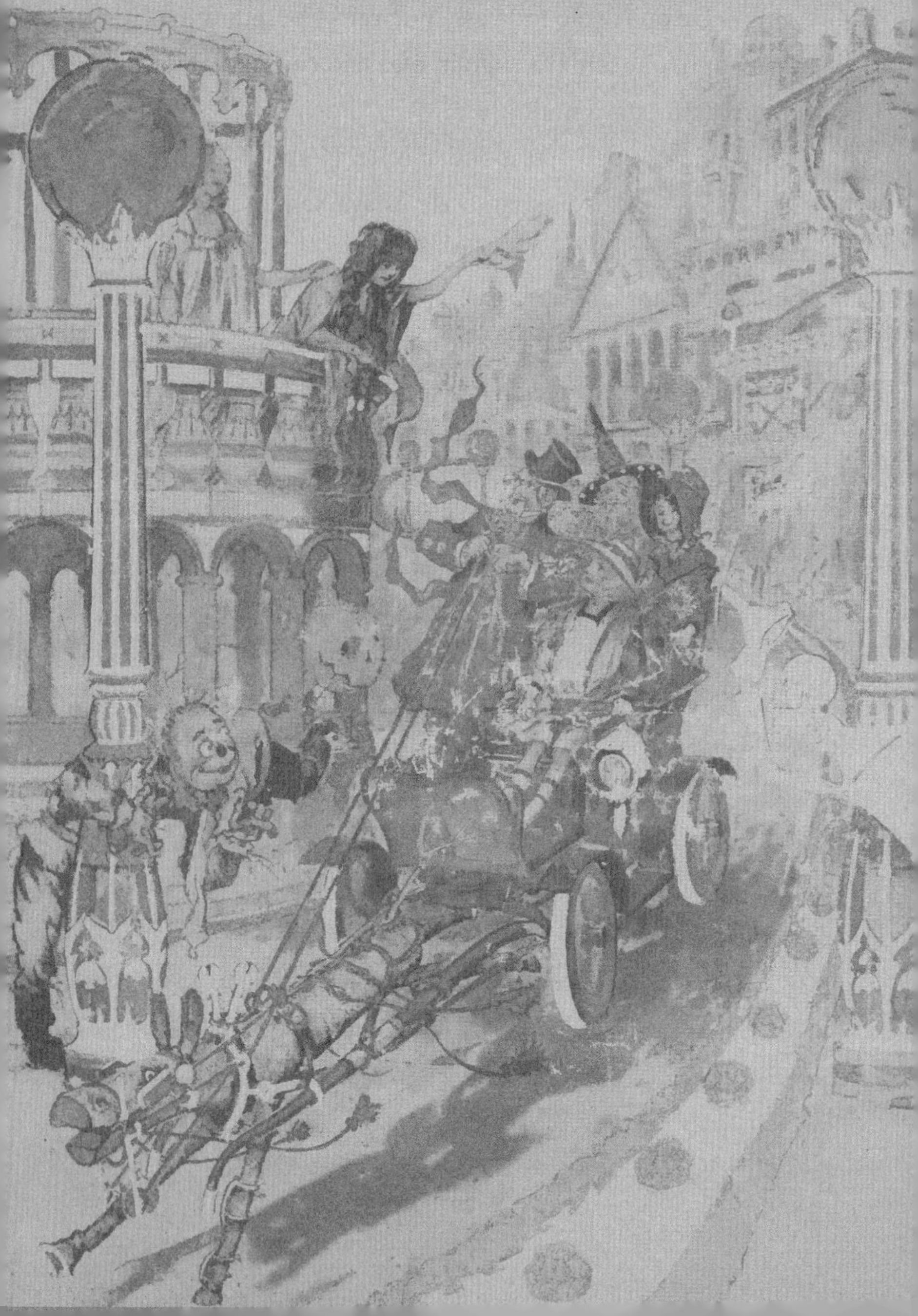

CAPÍTULO 28
QUANDO ELES BEBERAM
DA FONTE PROIBIDA

O Espantalho não precisava dormir; nem o Homem de Lata, o Tiktok ou o Jack, Cabeça de Abóbora. Assim, todos ficaram andando pelas terras do palácio e ficaram em pé ao lado da água da Fonte Proibida até o amanhecer. Durante esse tempo eles tiveram conversas ocasionais.

— Nada me faria esquecer o que eu sei — observou o Espantalho, olhando para a fonte —, pois não posso beber a Água do Esquecimento ou qualquer outro tipo de água. E sou feliz por isso, pois considero minha sabedoria insuperável.

— Você é cer-ta-men-te bas-tan-te esperto — concordou Tiktok. — De minha parte, só con-si-go pensar por causa do meu me-ca-nis-mo, e por isso não pre-ten-do saber tanto quanto você.

— Meu cérebro de lata é muito brilhante, mas isso é tudo o que peço para eles — disse Nick Chopper, com modéstia. — Ainda assim, não desejo ser muito esperto, pois percebi que as pessoas mais felizes são aquelas que não deixam seus miolos oprimi-las.

— Os meus nunca me preocupam — reconheceu Jack, Cabeça de Abóbora. Existem muitas sementes de pensamentos em minha cabeça, mas elas não brotam com facilidade. Gosto que seja assim, pois se eu ocupasse meus dias pensando eu não teria tempo para fazer mais nada.

Com esse humor alegre eles passaram as horas até que os primeiros raios de sol apareceram no céu. Então Ozma juntou-se a eles, tão renovada e adorável como sempre e usando um de seus vestidos mais bonitos.

— Nossos inimigos ainda não chegaram — disse o Espantalho, depois de cumprimentar carinhosamente a jovem Governante.

— Eles logo estarão aqui — disse ela — pois já olhei no meu Quadro Mágico e os vi tossindo e sufocando com a poeira do túnel.

— Ah, existe poeira no túnel? — perguntou o Homem de Lata.

— Sim, Ozma a colocou lá através do Cinto Mágico — explicou o Espantalho com um de seus largos sorrisos.

Agora Dorothy juntou-se a eles, com tio Henry e tia Em logo atrás dela. Os olhos da garotinha estavam pesados, pois ela passara a noite ansiosa e acordada. Totó caminhava ao lado dela, mas o espírito do cachorrinho era muito limitado. Billina, que sempre estava acordada ao raiar do dia, não estava com o grupo na fonte.

O Mágico e o Homem-Farrapo chegaram em seguida, e logo depois apareceu Omby Amby, trajando seu melhor uniforme.

— Lá está o túnel — disse Ozma apontando para uma parte da terra bem à frente da Fonte Proibida —, e em alguns minutos os terríveis invasores aparecerão vindos do solo e estarão aos montes aqui. Vamos ficar do outro lado da Fonte para ver o que vai acontecer.

Rapidamente todos seguiram sua sugestão e deram a volta na fonte da Água do Esquecimento. Lá ficaram em silêncio e esperaram até que a terra cedeu com um estrondo repentino e lá de dentro surgiu o Primeiro e Mais Importante, seguido por seus sinistros guerreiros.

Quando o líder surgiu seus olhos brilhantes enxergaram a fonte e ele se apressou em sua direção e bebeu vorazmente a água reluzente. Muitos outros Fanfasmos beberam a água também para limpar suas gargantas secas e arranhadas. Ficaram então por ali e olharam um para o outro com sorrisos simples e admirados.

O Primeiro e Mais Importante viu Ozma e seus companheiros do outro lado da fonte, mas em vez de tentar capturá-la ele simplesmente ficou olhando para ela admirando sua beleza – pois tinha se esquecido de onde estava e porque se encontrava ali.

Mas agora o Grande Gallipoot chegou, saindo correndo do túnel com um grito rouco de raiva e sede misturadas. Ele também viu a fonte e se apressou para beber de sua água proibida. Os outros Growleywogs não demoraram a fazer o mesmo, e mesmo antes de terem terminado de beber a água o Chefe dos Whimsies e seu povo os empurraram, enquanto todos tiravam suas cabeças falsas para poderem beber a água da fonte.

Quando o Rei Nomo e o General Guph chegaram, correram para a fonte, mas o General estava com tanta sede que derrubou seu Rei, e enquanto Roquat estava esparramado no chão o General bebeu vorazmente a Água do Esquecimento.

Esse ato rude de seu General deixou o Rei Nomo tão bravo que por um momento ele se esqueceu que estava com sede e ficou em pé olhando para o terrível grupo de guerreiros que trouxera para lhe ajudar. Ele viu Ozma e seu povo, também, e gritou:

— Por que vocês não os capturam? Por que não conquistam Oz, seus idiotas? Por que estão parados aí como uns bobalhões?

Mas os grandes guerreiros pareciam criancinhas. Eles esqueceram sua inimizade com Ozma e com Oz. Esqueceram quem era, ou porque estavam nesse lugar estranho e belo. Já o Rei Nomo, eles não o reconheciam, e ficavam se perguntando quem ele era.

O sol surgiu e enviou seus raios para iluminar o rosto dos invasores. A carranca e os olhares malignos tinham desaparecido. Até mesmo a mais monstruosa das criaturas ali reunidas sorria de maneira inocente e parecia ter bom coração e estar satisfeita simplesmente por estar viva.

Mas não o Rei Nomo, Roquat. Ele não bebera da Fonte Proibida e toda sua raiva de Ozma e Dorothy agora o deixavam mais furioso ainda. A visão do General Guph balbuciando como uma criança feliz e brincando com suas mãos na água fria da fonte espantou e enlouqueceu Roquat, o Vermelho. Ao ver que seus terríveis aliados e seu próprio General se recusavam a agir, o Rei Nomo virou-se para ordenar que seu grande exército de Nomos saísse do túnel e fosse atrás do indefeso povo de Oz.

Mas o Espantalho imaginou o que se passava pela cabeça do Rei e disse algo para o Homem de Lata. Juntos os dois correram até Roquat, agarraram-no e o jogaram dentro da fonte.

O corpo do Rei Nomo era redondo como uma bola, e ele afundou e emergiu na Água do Esquecimento enquanto se engasgava e gritava com medo de se afogar. E quando ele gritava sua boca se enchia de água, que escorria por sua garganta, de maneira que ele rapidamente se esqueceu de tudo o que sabia completamente, como acontecera com os outros invasores.

Ozma e Dorothy não conseguiam segurar a risada ao ver seus terríveis inimigos transformarem-se em bebês inofensivos. Agora não havia nenhum perigo de Oz ser destruída. A única questão ainda sem solução era como se livrar desse bando de intrusos.

O Homem-Farrapo gentilmente tirou o Rei Nomo da fonte e colocou-o em pé. Roquat estava encharcado, mas conversava, ria e queria beber mais água. Não passava por sua cabeça machucar qualquer pessoa.

Antes de sair do túnel ele ordenara que seus cinquenta mil homens ficassem lá dentro até ele ordenar que avançassem, pois ele queria dar tempo para que seus aliados conquistassem Oz antes de aparecer com seu próprio exército. Ozma não queria que todos esses Nomos ficassem em suas terras, então ela foi até o Rei Roquat e, segurando sua mão, perguntou delicadamente:

— Quem é você? Qual é o seu nome?

— Eu não sei — respondeu ele, sorrindo para ela. — Quem é você, minha querida?

— Meu nome é Ozma — disse ela. — E seu nome é Roquat.

— Ah, é mesmo? — respondeu ele, parecendo feliz.

— Sim, você é o Rei dos Nomos — disse ela.

— Ah! Fico imaginando quem são os Nomos! — respondeu o Rei, como se estivesse intrigado.

— Os Nomos são elfos subterrâneos, e aquele túnel ali está cheio deles — respondeu ela. — Você tem uma linda caverna do outro lado do túnel, por isso você deve ir até os seus Nomos e dizer a eles: "Marchem de volta para casa!" E então você deve ir atrás deles e logo chegará na linda caverna onde vocês moram.

O Rei Nomo ficou muito feliz em saber disso, pois havia se esquecido que possuía uma caverna. Foi então até o túnel e disse a seu exército:

— Marchem de volta para casa!

Rapidamente os Nomos se viraram e voltaram pelo túnel e o Rei foi atrás deles, rindo encantado ao perceber que suas ordens eram obedecidas tão prontamente.

O Mágico foi até o General Guph, que tentava contar seus dedos, e disse a ele para ir atrás do Rei Nomo, que era seu mestre. Guph obedeceu docilmente e assim todos os Nomos foram embora da Terra de Oz para sempre.

Mas ainda havia os Fanfasmos, os Whimsies e os Growleywogs, que estavam agrupados por ali, e eram tantos que encheram o jardim e estavam pisando nas flores e na grama, pois não sabiam que as plantas seriam destruídas com seus pés desajeitados. Mas em todos os outros aspectos eles eram inofensivos e brincavam juntos como se fossem crianças ou olhavam com prazer para a linda paisagem do jardim real.

Depois de consultar o Espantalho, Ozma enviou Omby Amby até o palácio para buscar o Cinto Mágico, e quando o Capitão General voltou com ele a Governante de Oz rapidamente prendeu o Cinto em volta da cintura.

— Desejo que todas essas pessoas – os Whimsies, os Growleywogs e os Fanfasmos – voltem em segurança para suas casas! — disse ela.

Isso aconteceu em um piscar de olhos, porque, claro, o desejo se realizava no momento em que era feito.

Todos os invasores agora desapareceram e apenas a grama amassada deixava evidente que eles estiveram na Terra de Oz.

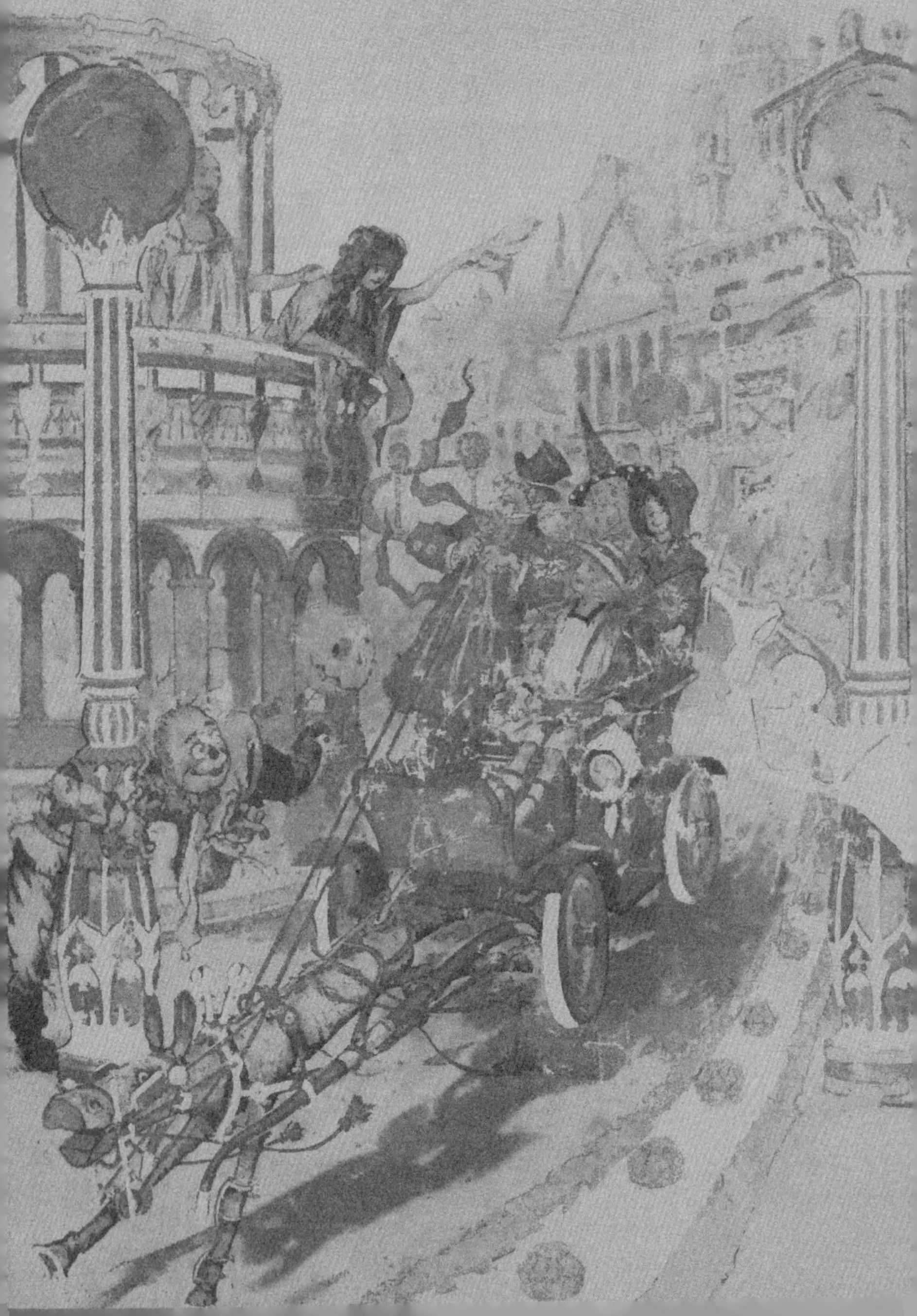

CAPÍTULO 29
QUANDO GLINDA
REALIZOU UM FEITIÇO

— Isso foi melhor do que lutar — disse Ozma quando todos os seus amigos se reuniram no palácio depois dos eventos emocionantes da manhã; e cada um deles concordou com ela.

— Ninguém se machucou — disse o Mágico, encantado.

— E ninguém nos machucou — acrescentou a tia Em.

— Mas o melhor de tudo — disse Dorothy —, é que as pessoas más se esqueceram de suas maldades, e não vão querer machucar ninguém mais depois disso.

— Verdade, Princesa — declarou o Homem-Farrapo. — Me parece que transformar todas aquelas criaturas do mal foi mais importante do que salvar Oz.

— De qualquer maneira — observou o Espantalho —, estou feliz por Oz estar a salvo. Agora posso voltar alegre e contente para a minha mansão.

— E eu estou feliz e agradecido porque minha fazenda de abóboras está a salvo — disse Jack.

— De minha parte — acrescentou o Homem de Lata — não consigo expressar minha alegria por meu adorável castelo não ter sido destruído por inimigos maldosos.

— Ainda assim — disse Tiktok —, ou-tros i-ni-mi--gos podem vir para Oz um dia.

— Por que você permite que os miolos do seu mecanismo acabem com a nossa alegria? — perguntou Omby Amby, franzindo a testa para o homem mecânico.

— Eu digo o que me dão corda para dizer — respondeu Tiktok.

— E você está certo — declarou Ozma. — Eu mesma tenho pensado nessa ideia, e me parece que existem muitas maneiras de as pessoas chegarem à Terra de Oz. Costumávamos achar que o deserto que nos cerca era proteção suficiente, mas esse não é mais o caso. O Mágico e Dorothy chegaram aqui pelo ar, e já me disseram que as pessoas na terra inventaram aparelhos voadores que podem levá-los para onde quiserem.

— Ora, às vezes levam sim, e às vezes não — exclamou Dorothy.

— Mas com o passar do tempo essas máquinas voadoras podem nos causar problemas — continuou Ozma. — Se o pessoal da terra aprender a usar esses aparelhos, receberíamos muitos visitantes que acabariam com nossa adorável e reclusa terra encantada.

— Isso é bem verdade — concordou o Mágico.

— Além disso, o deserto não consegue nos proteger de outras maneiras — continuou Ozma, pensativa. — Johnny, o Fazedor, um dia construiu um barco de areia que navegou através dele, e o Rei Nomo construiu um túnel embaixo dele. Então acho que alguma coisa precisa ser feita para nos manter afastados do restante do mundo todo, para que no futuro ninguém consiga chegar até aqui.

— Como você faria isso? — perguntou o Espantalho.

— Não sei; mas tenho certeza de que isso pode ser feito de alguma maneira. Amanhã farei uma viagem até o castelo de Glinda, a Boa, e pedirei seu conselho.

— Posso ir com você? — perguntou Dorothy, animada.

— É claro, minha querida Princesa; e convido também qualquer um de nossos amigos aqui presentes que queiram embarcar nessa jornada.

Todos declararam que gostariam de acompanhar a garota Governante, pois essa realmente era uma missão importante, já que o futuro da Terra de Oz dependia muito disso. Ozma então deu ordens aos serviçais para que eles se preparassem para a jornada do dia seguinte.

Naquele dia ela olhou no Quadro Mágico e quando ele mostrou a ela que todos os Nomos haviam retornado pelo túnel para suas cavernas subterrâneas, Ozma usou o Cinto Mágico para fechar o túnel, de maneira que a terra embaixo do deserto se tornasse sólida como sempre fora antes de os Nomos começarem a cavá-la.

No dia seguinte bem cedo uma alegre cavalgada foi organizada para visitar a famosa Feiticeira Glinda, a Boa. Ozma e Dorothy foram na carruagem puxada pelo Leão Covarde e pelo Tigre Faminto, enquanto o Cavalete levava a carroça vermelha com o restante do grupo.

Com o coração leve e feliz o grupo viajou alegremente pelas adoráveis e fascinantes terras de Oz, e em pouco tempo chegaram ao castelo onde morava a Feiticeira.

Glinda esperava por eles.

— Eu li que vocês estavam vindo em meu Livro Mágico — disse ela, enquanto os cumprimentava de seu modo gracioso.

— Como é esse seu Livro Mágico? — perguntou a tia Em, curiosa.

— É um registro de tudo o que acontece — respondeu a Feiticeira. — Assim que um evento ocorre, em qualquer lugar do mundo, ele é imediatamente escrito no meu Livro Mágico. Assim, quando leio suas páginas fico informada do acontecimento.

— Ele contou a você que nossos inimigos beberam a Água do Esquecimento? — perguntou Dorothy.

— Sim, minha querida; ele me contou sobre isso. E também me contou que vocês estavam vindo até o meu castelo e o porquê da visita de vocês.

— Então — disse Ozma —, acho que você sabe o que se passa em minha cabeça e que estou procurando uma maneira de evitar que qualquer um, no futuro, encontre a Terra de Oz.

— Sim; eu sei disso. E enquanto vocês viajavam, eu pensei em uma maneira de realizar o seu desejo. Pois me parece estúpido permitir que muitas pessoas do mundo de fora venham até aqui. Dorothy, com seu tio e tia, vieram para Oz agora para morar aqui para sempre, e não existe motivo para deixarmos nenhuma outra entrada para visitantes indesejados chegarem na nossa terra encantada. Vamos tornar impossível que qualquer pessoa consiga se comunicar conosco de alguma maneira, depois disso. Assim viveremos em paz e com alegria.

— Seu conselho é sábio — respondeu Ozma. — Agradeço, Glinda, por ter prometido me ajudar.

— Mas como você vai fazer isso? — perguntou Dorothy. — Como você vai impedir que as pessoas descubram Oz?

— Tornando nosso país invisível aos olhos de todos, menos aos nossos — respondeu a Feiticeira, sorrindo. — Tenho uma feitiço poderoso o suficiente para realizar esse desejo maravilhoso, e agora que fomos alertados sobre o perigo que corremos graças à invasão do Rei Nomo, acredito que não devemos hesitar e precisamos nos separar para sempre de todo o restante do mundo.

— Concordo com você — disse a Governante de Oz.

— Isso vai fazer alguma diferença para nós? — perguntou Dorothy, em dúvida.

— Não, minha querida — respondeu Glinda, tranquilizando-a. — Ainda seremos capazes de nos ver e de ver tudo na Terra de Oz. O feitiço não nos afetará. Mas aqueles que passarem voando sobre nossas terras olharão para baixo e não verão nada. Aqueles que vierem até a beirada do deserto, ou que tentarem atravessá-lo, não terão nenhuma visão de Oz, nem saberão em que direção nossas terras ficam. Ninguém vai tentar chegar até nós através de um túnel novamente porque não poderemos ser vistos e, consequentemente, não seremos encontrados. Em outras palavras, a Terra de Oz desaparecerá completamente do conhecimento de todo o resto do mundo.

— Está certo — disse Dorothy, com alegria. — Você pode tornar Oz invisível o mais rápido que quiser, pois é isso o que me importa.

— Oz já está invisível — disse Glinda. — Eu sabia o que Ozma desejava, e fiz o feitiço antes de vocês chegarem.

Ozma segurou a mão da Feiticeira e apertou-a agradecida.

— Obrigada — disse ela.

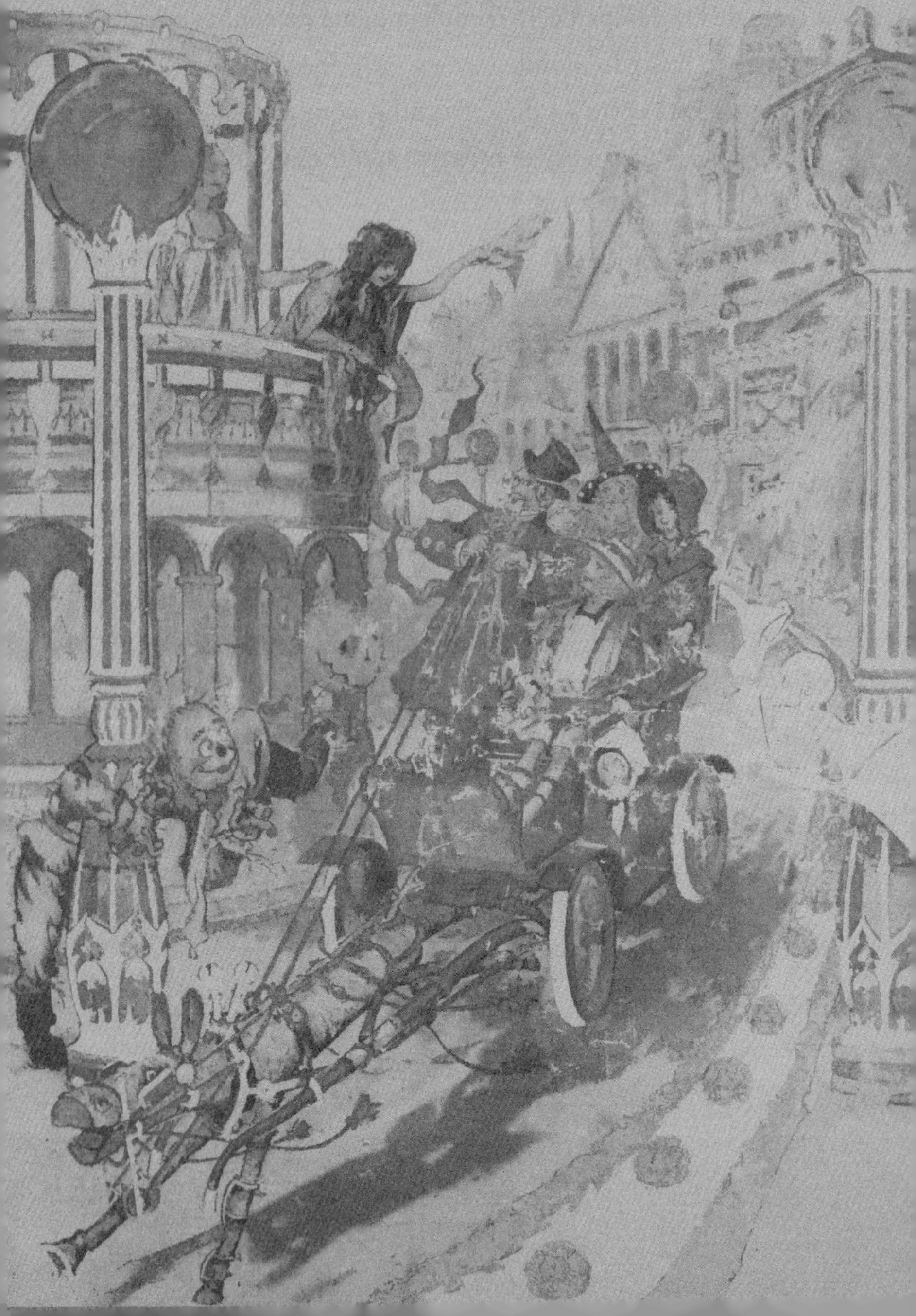

CAPÍTULO 30
QUANDO A HISTÓRIA DE OZ CHEGOU AO FIM

O escritor dessas histórias de Oz recebeu uma pequena nota da Princesa Dorothy que, durante algum tempo, fez com que ele ficasse bastante chateado. A nota foi escrita em uma grande pena branca da asa de uma cegonha, e nela estava escrito:

"Você nunca mais vai ouvir nada sobre Oz, pois agora estamos para sempre separados de todo o resto do mundo. Mas Totó e eu sempre amaremos você e todas as outras crianças que nos amam."

Dorothy Gale

Isso me pareceu ser algo muito ruim, em um primeiro momento, pois Oz é uma terra encantada bastante interessante. Ainda assim, não temos o direito de nos sentirmos tristes, pois tivemos muitas histórias da Terra de Oz ao longo de seis livros, e com seu povo pitoresco e suas estranhas aventuras conseguimos aprender muitas coisas úteis e divertidas.

Então, boa sorte à pequena Dorothy e a seus companheiros. Desejo que eles tenham vida longa em seu país invisível e que sejam muito felizes!

FIM

**INFORMAÇÕES SOBRE NOSSAS
PUBLICAÇÕES E ÚLTIMOS LANÇAMENTOS**

(f) facebook.com/editorapandorga

(◎) instagram.com/pandorgaeditora

PandorgA